CRONICA DE GARCI LOPEZ
DE RONCESVALLES

CUADERNOS DE TRABAJOS DE HISTORIA - 7
Colección dirigida por Angel J. Martín Duque

CARMEN ORCASTEGUI GROS

CRONICA
DE GARCI LOPEZ
DE RONCESVALLES

ESTUDIO Y EDICION CRITICA

EDICIONES UNIVERSIDAD DE NAVARRA, S. A.
PAMPLONA, 1977

INDICE GENERAL

PRELIMINAR

El interés de la crónica del tesorero real Garci López de Roncesvalles, está en el hecho de haber servido de base para la obra posterior del Príncipe de Viana. Hasta ahora no se contaba con ninguna edición de dicha crónica, de ahí el interés del presente trabajo.

La edición crítica del texto se ha hecho a base de cinco manuscritos localizados, buscando las fuentes utilizadas por el tesorero en su trabajo; trabajo concebido como prólogo del libro de comptos de 1404. A la vez se han hecho una serie de anotaciones al texto de la crónica, al objeto de ajustar la veracidad histórica de los hechos narrados por el autor.

El trabajo se acompaña de algunas noticias biográficas sobre Garci López de Roncesvalles, noticias extraídas de los documentos de la Sección de Comptos del Archivo General de Navarra, así como de un análisis de los problemas suscitados por el conocimiento y difusión de la obra del tesorero a partir de su primitiva redacción.

La crónica de Garci López de Roncesvalles llenaría en su tiempo el vacío existente en la producción historiográfica de Navarra que sólo había contado, hasta entonces, con Anales y Genealogías, pero no con ninguna historia particular del reino. En su concepción seguirá el esquema utilizado anteriormente por la historiografía de los otros reinos hispánicos, arrancando de la cristianización de Navarra y de la erección de Iñigo Arista, sin dejar nunca de ser una Genealogía ampliada, en la que los acontecimientos se subordinarán a la sucesión cronológica de los reyes. Unicamente con Carlos II —período coetáneo al autor— la crónica se hará más detallada, contrastando con la brevedad del resto del relato.

El estudio de este texto me facilitó la preparación de la edición crítica de la Crónica del Príncipe de Viana —de inminente aparición—, objeto de mi tesis doctoral, presentada en la Facultad de Filosofía y Letras de la Universidad de Zaragoza bajo la dirección del Prof. Dr. José M.ª Lacarra, a quien reitero mi gratitud, extensiva ahora al Prof. Dr. Angel J. Martín Duque, de la Universidad de Navarra, por sus observaciones y su apoyo en la presente publicación.

ESTUDIO

1. EL AUTOR

Garci López de Roncesvalles era tesorero del rey Carlos III desde el 4 de diciembre de 1403 por nombramiento real dado en Burdeos. El acta de nombramiento fue levantada por Sancho de Iturbide de Baquedano, secretario del rey, y está contenida al final de la obra como un apéndice de la misma. Dicho apéndice era necesario debido a la finalidad de la Crónica: servir de prólogo al primer volumen de comptos del nuevo tesorero. En el acta se detallan sus deberes, así como sus derechos a todos los provechos, emolumentos, gajes, estado y pensión pertenecientes a dicho cargo [1]. Sin embargo, el rey había omitido el aumento de cien libras anuales concedido a los predecesores en el cargo, subsanando su error mediante una orden de 28 de abril de 1406, dada en Olite. Estas cien libras debían sustraerse de la recepta del pan [2].

Como parte de los gajes de su oficio, Garci López de Roncesvalles recibió, desde 1417, todos los provechos y emolumentos del bailío de Artajona, que se estimaban en cien sueldos de carlines prietos anuales, y los de la escribanía del rey de la ciudad de Pamplona que ascendían a cincuenta libras carlines [3]. En el mismo año sabemos que otra parte de su pensión la tenía asignada sobre la pecha de los labradores de Tiebas, que le entregaban

---

1. El documento se halla en el A.G.N., sec. Camptos, caj. 89, n.º 90, I. (*Catálogo de Comptos*, t. XXV, 656). Pocos días después, el 9 de diciembre de 1403, en Blaye, el rey le concedía 300 florines de gracia especial para que comprase cabalgaduras y vestiduras y para aparejarse según correspondía a su oficio. (*Catálogo*, t. XXV, 668).

2. A.G.N., Comptos, caj. 93, n.º 11, VI (*Catálogo*, t. XXVI, 919).

3. A.G.N., Comptos, caj. 105, n.º 8, LIV y caj. 106, n.º 89, II. (*Catálogo*, t. XXXII, 547 y 574).

anualmente seis libras, tres sueldos y un dinero de carlines prietos más veinte cahíces de trigo y treinta de avena[4].

La documentación coetánea demuestra que el tesorero siguió desempeñando satisfactoriamente sus funciones, sin interrupción, hasta su muerte, acaecida el 25 de julio de 1437[5]. En prueba de sus buenos servicios, en 1431, los reyes le eximieron de cualquier carga o reclamación relacionada con sus cuentas[6]. Tan sólo conocemos, a través de la documentación consultada, un desplazamiento del tesorero en todos los años de servicio y fue con ocasión de acompañar a Godofre, hijo bastardo del rey, conde de Cortes, a su condado en 1414[7].

Sobre su persona apenas sabemos pequeños detalles. Suzanne Duvergé[8], que ha abordado este tema con anterioridad, señala su origen navarro atestiguado por un apellido inconfundible —Roncesvalles— y su posible vinculación a una familia de ricos mercaderes de este nombre que vivían en Pamplona en tiempos de Carlos II. Sobre este particular, la documentación de comptos es lo suficientemente expresiva como para localizar un Salvador de Roncesvalles, rico mercader del Burgo de San Saturnino de esta ciudad, desde fines del siglo XIV. Por otro lado, el susodicho Salvador ocuparía el cargo de guardasellos del rey en Pamplona hacia 1411[9] y de alcalde del Burgo en 1424[10]. Es un claro ejemplo

4. A.G.N., Comptos, caj. 105, n.º 10, IX (*Catálogo*, t. XXXII, 592, 886 y 1.004). Respecto a otros bienes de su propiedad sabemos que poseía algunos en Ciligüeta, Izco y Mugueta, los cuales fueron vendidos en 1415 por orden de Miguel Laceilla, para responder ante este mercader de cien libras que el tesorero le adeudaba (A.G.N., Comptos, caj. 115, n.º 19).

5. A.G.N., Registro 498, fol. 125 r.º.

6. Se citan en este documento entre otros servicios: la recuperación de los bienes de algunos judíos que habían cometido ciertos excesos; las obras en el palacio de Puente la Reina; el recibir al rey y a otros caballeros en su casa de Oriz; realizar numerosos viajes y embajadas, así como solucionar asuntos de finanzas (A.G.N., Comptos, caj. 104, n.º 38; *Catálogo*, t. XL, 118). Quedan también entre la documentación conservada noticias de otras donaciones que se le hicieron en años anteriores: en Estella, el 26 de mayo de 1412, Carlos III le donó 4.000 florines para su placer; en Puente la Reina, el 8 de noviembre de 1412, le concedió 334 florines para lo mismo; y en Olite, el 18 de noviembre de 1413, 50 libras para hacer su voluntad (*Catálogo*, t. XXIX, 507 y 1.157; t. XXX, 903).

7. A.G.N., Comptos, caj. 113, n.º 41, IV (*Catálogo*, t. XXXI, 312).

8. En *La Chronique de Garci López de Roncesvalles*, «Bulletin Hispanique», t. XXXII, Bordeaux (1935), pág. 448.

9. *Catálogo*, t. XXVIII, 1165. Seguía desempeñando este cargo en 1414 (*Catálogo*, t. XXX, 474).

10. *Catálogo*, t. XXXVI, 441.

del ascenso a los altos cargos de la administración del reino de Navarra de personajes enriquecidos en el comercio y que se ganaban el favor real. Pero aún hay ejemplos más claros de personas pertenecientes a la familia de los Roncesvalles. Tal es el caso de Lope de Roncesvalles [11] que en 1393 aparece como colector de la Caridad de Pamplona, tratándose, con toda seguridad, del padre de nuestro tesorero en cuestión.

Concretando sobre Garci López de Roncesvalles, sabemos que en 1386 aparece como recibidor de los tributos de la merindad de las Montañas sustituyendo a Pascual Motza, su suegro, así como en otras misiones diversas de carácter administrativo [12]. Nuestro tesorero, pues, estaba casado con María Motza, lo que contradice la afirmación de Duvergé sobre el estado de clérigo de Garci López. Esta mujer pertenecía también a otra familia de burgueses de la población de San Nicolás que acabarían por ocupar cargos de magistrados locales e incluso algunos de ellos pasarían a la administración central. Tanto los Roncesvalles como los Motza se integraban, pues, en el patriciado urbano de la ciudad.

Es cierto, según afirma Duvergé, que Garci López comienza su obra con abundantes citas bíblicas y que toda ella emana un profundo sentido religioso, quedando bien patente su providencialismo y su confianza en la misericordia de Dios, pero en todo ello hay que interpretar, más que una condición religiosa del autor, la influencia de todos los escritos antiguos que utilizó en la composición de su obra. Hombre de un hondo espíritu religioso, asimiló, y aun amplió si cabe, la influencia de carácter religioso que le imprimieron sus fuentes, y la vertió en su obra. Corroboran esta afirmación, dos documentos conservados en diferentes archivos navarros, que nos atestiguan la condición láica de Garci López, al menos en los años en que redactaba su crónica. Por el primero de ellos [13] confirmamos que estuvo casado con María Motza, ya que ambos, como marido y mujer, fundan el 14 de septiembre de 1428 una capellanía y doce aniversarios en la capilla de San Blas de la iglesia de San Nicolás en Pamplona, con

11. *Catálogo*, t. XX, 193.

12. Desde el 6 de septiembre de este año y durante todo el año siguiente, García de Roncesvalles, el joven, actuará como lugarteniente del recibidor de las Montañas, Pascual Motza, por ausencia de éste (*Catálogo*, t. XVI, 375, 566, 616, 841, 950, 981, 1.020, 1.024, 1.025, 1.059, 1.061, 1.135. 1.138, 1.205 y 1.209).

13. Reg. GOÑI GAZTAMBIDE, *Catálogo del Archivo de la Catedral de Pamplona*, t. I (829-1500), Pamplona 1965, documento 1.715 (V. 33).

la aprobación de Lope de Meoz, oficial de la diócesis. Otra noticia posterior a su muerte, de 23 de octubre de 1438, cita a su hija María García Motza como heredera legítima del matrimonio [14].

También está documentado desde 1390 hasta 1422 un Pedro López de Roncesvalles dedicado al servicio de las armas y ocupando siempre puestos de confianza cerca del rey, de suerte que en 1415 es nombrado servidor y familiar de su hostal [15].

---

14. *Catálogo,* t. XLIII, 635.
15. *Catálogo,* t. XVII, 962; t. XXII, 696; t. XXV, 158, 331 y 997; t. XXVII, 2 y 430; t. XXVIII, 539 y 1.353; t. XXIV, 1.082; t. XXXIV, 2; t. L, 1.029.

2. LA FECHA DE REDACCION

La fecha de la redacción, así como la intención del autor al efectuar su trabajo, quedan perfectamente reflejadas en el prólogo de la crónica, donde dice: «que todo tesorero de Navarra aya de poner al empieço de su primer compto...». La crónica se concibió, por tanto, para preceder al volumen de Comptos que corresponde al año 1404, a modo de prólogo [16].

Más claras y concretas son todavía las indicaciones de fecha que aparecen dentro del texto. En el parágrafo 77 dice textualmente: «la dicha donna Iohana duquessa fue casada et es a present a la scriptura d'este libro, en el anno Mº CCCCº Vº, con el rey de Anglaterra don Henrich»; y más adelante, en el parágrafo 80, repite: «Las quales letras a la scriptura d'este libro en el año CCCCº Vº, no heran venidas en Navarra». No hay duda pues, de que la crónica se estaba redactando en este año, aunque en el parágrafo siguiente aparece una alusión a una noticia posterior referente a la infanta Beatriz, hija de Carlos III, que casó con Jacques de Borbón, conde de la Marcha, en Pamplona, el 14 de septiembre de 1406. Para entonces, la crónica ya debía estar terminada, y el tesorero, en un intento de completar la tarea que se había impuesto de la manera más perfecta posible, lo añadiría posteriormente, quizá por medio de una nota que algún copista incorporó al texto. La misma expresión utilizada por Garci López parece indicar que se trata de una adición: «donna Beatriz que *despues* a seido casada con el comte de la Marcha, don Jacques de Borbon».

Lo cierto es que esta crónica, formando parte del primer volumen de Comptos que realizó Garci López como tesorero del

16. A.G.N., Registro 279.

reino, fue presentada ante la Cámara el último día de abril de 1409, en presencia de los oidores de los comptos del rey: Pascual Motza, Johan d'Athaondo y Pedro García Eguirior; según consta en una nota que termina el volumen [17].

La colación necesaria de las cartas del rey, que se habían incorporado como adiciones al final de la crónica, ya había sido efectuada anteriormente a esta fecha por el notario de la Corte, Pelegrin, el 24 de abril de 1409.

17.   A.G.N., Registro 279, fol. 142v.

3. LA TRANSMISION DE LA CRONICA

Cuatro de los manuscritos conservados (B, B₁, C, D) encabezan la obra con el siguiente título: «Choronica de Garci Lopez de Roncesvalles. Esta historia y capítulos que están con ella se sacó de un quaderno de pergamino grande que dió Juan de Sada, teniente del tesorero Vaylles de Pamplona. Año 1403» [18]. El epígrafe es significativo ya que nos indica la época en que se inició la divulgación de la crónica.

Garci López había realizado su trabajo pensando únicamente en los oidores de comptos y en los oficiales reales que tuvieran necesidad de acudir a los registros, pero sin sospechar siquiera una mayor difusión de su obra. La crónica, incorporada al volumen de comptos de 1404, cumplió así largo tiempo su cometido, hasta que Juan de Sada, teniente del tesorero Vaylles, la arrancó del registro y la dió a copiar, empezando así su divulgación. Esta tardanza en el inicio de su transmisión ha determinado por una parte el escaso número de ejemplares conservados, y por otra el que haya pasado casi desapercibida hasta la fecha.

Juan de Sada, como regente y administrador de la Tesorería General de Navarra, y también como oidor de comptos, aparece en la documentación por los años 1540 hasta 1575 [19]. Había muerto el 13 de enero de 1575, cuando se envió a su casa al licenciado Ros con el fin de recoger todos los documentos de la Cámara de Comptos que aquél guardaba. Se conserva un inventario de dichos documentos y son los siguientes: «Capitulación de los reyes D. Juan y Catalina sobre la Santa Hermandad; confirmación de

---

18. En todos los manuscritos que contienen este epígrafe se lee 1403; sin embargo es un error que los copistas se han ido transmitiendo, debiendo decir 1404, que es la fecha correcta.

19. *Catálogo de Comptos*, t. XLIX, n.º 452 y 613.

la misma en 1488; respuesta de la princesa de Viana y de los reyes Juan y Catalina a los tres estados del Reino; capítulos matrimoniales del infante D. Juan y Ana, hija del conde de San Esteban, y condestable de Navarra, mosen Pierres de Peralta, que le representa; pechas de diversos lugares entre 1516 y 1570; instrucciones de D. Juan de Aragón a la princesa D.ª Leonor; fundaciones de aniversarios, etc...». Según este inventario, podemos comprobar que no conservaba entre sus escritos la crónica del tesorero, todavía en poder del amanuense encargado de copiarla o quizá ya desaparecida; pero de su interés y afición por los manuscritos nos queda la certidumbre de que fue este Juan de Sada quien arrancó el cuadernillo y se preocupó de su difusión. Corrobora esta afirmación, el haber podido constatar, a través de la documentación coetánea, que en estos mismos años ejercía las funciones de tesorero general del reino Juan Vallés. No se conservan sus registros, pero en algunos documentos de la época dicho tesorero aparece efectuando pagos correspondientes a su cargo, concretamente en 1538, 1546 y 1554[20].

Queda así desvirtuada la tesis esbozada ya con algunos reparos por Suzanne Duvergé[21] al relacionar a este Juan de Sada, al que se hace alusión en el título de la crónica, con otro personaje del mismo nombre que vivió en 1628 y dejó una «Historia Apologética del Reino de Navarra». El hecho de que uno de los manuscritos utilizados en nuestra edición esté escrito en letra del siglo XVI, abogaba ya por sí solo en contra de esta opinión que llevaba el inicio de la transmisión de la crónica a una época excesivamente tardía.

Podemos afirmar, con seguridad, que la crónica permaneció siglo y medio en el lugar en que había sido escrita, siendo accesible únicamente a los oidores de comptos y a los funcionarios reales que por su trabajo debían manejar los registros. Sólo hacia 1540, y más concretamente antes de 1575, fecha en que murió Juan de Sada, se empezó a difundir por medio de copias que son las que han llegado hasta nosotros.

No se ha conservado, en cambio, el manuscrito original que respondería necesariamente a las mismas características de letra y formato que el resto del volumen del que formaba parte. Estaría por tanto escrito en pergamino; sus medidas serían de 410 ×

20. A.G.N., Sección de Comptos, caj. 180, n.º 66 y caj. 181, n.º 22 y 43. (*Catálogo*, t. XLIX, n.º 436, 483 y 507).
21. Suzanne DUVERGE, *l. c.*, pág. 447.

290 mm. y, si hemos de creer textualmente las palabras del copista que redactó el epígrafe situado en cabeza de la crónica,
toda ella formaría un solo cuadernillo.

Finalmente es muy importante subrayar la enorme transcen-
dencia que tuvo en la posterior divulgación de la crónica de Garci López, el gran intervalo de tiempo transcurrido entre su redacción y las primeras copias que de ella se realizaron. En este largo
período de más de un siglo, un personaje celebérrimo —no sólo
por su propia personalidad sino también por las circunstancias
políticas que le acompañaron— había compuesto con ayuda de
algunos colaboradores otra historia de Navarra, más amplia, en
la que había vertido casi al pie de la letra la parte más interesante de la crónica del tesorero. Dicha historia, conocida con el nombre de su presunto autor —Crónica del Príncipe de Viana—, alcanzó pronto gran notoriedad y difusión, y contribuyó de esta
manera a anular el interés de la crónica utilizada como fuente.
Por esto, cuando Juan de Sada inició su divulgación en el siglo
XVI, la enorme popularidad alcanzada por la crónica del Príncipe,
impidió desde el principio que el intento prosperara. El mérito
que sólo a Garci López correspondía y el interés histórico de su
narración ya habían sido atribuidos al Príncipe, y la crónica del
tesorero, difundida en muy pocos ejemplares, quedó relegada
al olvido.

4. LOS MANUSCRITOS

Los manuscritos conservados de la crónica de Garci López de Roncesvalles ascienden a cinco copias y dos resúmenes muy distintos en su concepción, cuyas características son las siguientes:

A.—Madrid. Biblioteca Nacional, n.º 19.613. En papel, letra de finales del siglo XVI, medidas: 205 × 150 mm. La tinta corroe bastantes lugares del papel. Forma parte de un volumen encuadernado en pergamino de 89 fols. sin numeración salvo la crónica que ocupa los 32 fols. primeros con numeración romana. Tejuelo: «Crónicas y otras antigüedades». Contiene: «Crónica de los Sres. Reyes de Navarra escrita por el Thesorero Real de aquel Reyno don Garcia Lopez de Roncesvalles», «Copia del libro llamado del Chantre», «Plan para escribir una Historia Eclesiastica de este Reyno», «Descripción de Guipúzcoa y otras piezas inéditas» y «Discurso de D. Juan Antonio Fernandez sobre el entierro de D.ª Blanca de Navarra en Tudela, año 1776». En la contraportada lleva un sello correspondiente a la Biblioteca de D. Feliciano Ramírez de Arellano, marqués de la Fuensanta del Valle. La Crónica comienza en el fol. I por el prólogo: «Stillo et ordenanca fueron et son que todo thesorero de Navarra...» y termina en el XXXII: «por mi, Pelegrin, notarius de la Cort, et en la cambra de los comptos reales». Hay notas marginales explicativas del texto, la mayor parte de ellas son de la misma letra que la crónica y señalan el principio de cada reinado con el nombre del rey correspondiente y su número de orden. Hay también líneas verticales y palabras subrayadas para llamar la atención sobre algunas partes del texto. Al principio de la crónica, en una nota del margen superior, hay una reseña en distinta letra que dice: «Historia de Navarra, assaz verdadera en lo que contiene de los reyes de Navarra». En el lugar correspondiente se incluye completa la copia del acta de la coronación de Carlos III, en latín.

B.—Pamplona. Biblioteca General Diputación Foral de Navarra, 36-6/32. En papel, letra del siglo XVIII, está datada en 1770; medidas: 300 × 210 mm. Es un volumen de 93 fols. encuadernado en pergamino que contiene: 1.º La Crónica de Navarra de Pedro de Valencia, 2.º Navarre Regum epilogus: incerto auctore, 3.º la Crónica de Navarra de Fr. Garcia de Eugui, obispo de Bayona, 4.º Cronica de Navarra por el Theniente Thesorero Garcia Lopez de Roncesvalles y 5.º las Crónicas de Navarra por Sancho de Albear. La crónica del tesorero ocupa los folios 57r. al 74r. de este volumen. Título: «Choronica de Garci Lopez de Roncesvalles». Debajo: «Esta historia y capítulo que estan con ella se saco de un quaderno de pergamino grande, que dio Juan de Sada, teniente del tesorero Vaylles, en Pamplona. Año 1403». Comienza a continuación la crónica: «Stilo et ordenanza...»; y termina en el 73r.: «Pelegrin, notario de la Cort et en la cambra de los comtos del Señor Rey». Colofón: «Fin de la historia del thesorero Garci Lopez de Roncesvalles». Le sigue el principio del juramento prestado por Juan Albret y Catalina, el 12 de enero de 1494, con esta nota marginal: «Prosigue el juramento como se halla en la novissima recopilación, tomo I, pagina segunda». El texto de la crónica presenta algunas lagunas. En el folio 70, donde debía ir la copia del acta de la coronación de Carlos III, sólo se enuncia el principio del documento, con la siguiente nota: «Hase proseguir esta jura hasta el fin como la del rey Carlos III que tiene con las juras de otros reyes, que por ser todas del mismo tenor, por evitar prolixidad, no se puso aquí y después de acabada esta copia, prosigue el mismo historiador como se sigue».

B₁.—Pamplona. Archivo General de Navarra. Es un volumen en papel, en letra del siglo XVIII y encuadernado en pergamino, en cuyo tejuelo se lee: «Cronicas Antiguas de Navarra». El contenido y el formato del volumen coinciden en todo con el anteriormente descrito, variando únicamente el número de folios que ascienden a 103 en este ejemplar. La crónica ocupa del folio 60 al 82 y presenta las mismas características que el manuscrito B. Parece una copia coetánea de este manuscrito B con el que coincide en todas sus variantes. Por esta razón, la hemos relegado a un segundo plano en nuestra edición.

C.—Madrid. Academia de la Historia, C-134 (hoy 9.5555). En papel, letra del siglo XVIII, fechado el 29 de diciembre de 1788; medida: 300 × 205 mm. Forma parte de un volumen de 102 fols. más 15 en blanco, encuadernado en pasta, que lleva por título:

«Documentos y vecindario del reyno de Navarra, remitidos y copiados por orden del Sr. D. Domingo Fernandez del Riego y Campomanes, caballero del Orden de San Juan, Oidor del consejo de Navarra y nuestro Academico correspondiente». La crónica ocupa los folios 39v. al 52v. Le preceden la Crónica de Navarra de Juan de Jaco, unas noticias de la Historia de Pedro de Valencia (cap. XII al XVII), Navarre Regum Epilogus incerto auctore y la Crónica de García de Eugui. Le siguen la de Sancho de Albear y otros documentos. Presenta algunas lagunas coincidentes con B y B₁. Título: «Coronica de Garci Lopez de Roncesvalles. Esta Historia y capitulos que estan con ella se saco de un quaderno de pergamino grande que dio Juan de Sada teniente del tesorero Vaylles en Pamplona. Ano 1403». Al igual que los dos manuscritos anteriores, sólo contiene el principio del acta de la coronación de Carlos III, y también como ellos, añade al final de la crónica el principio del juramento de Juan Albret y Catalina, con la misma nota marginal.

D.—Madrid. Biblioteca de la Academia de la Historia, sign. 9.5238 colección Traggia, t. 20. En papel, letra del siglo xix; volumen encuadernado en pasta. Título: «Crónica del Príncipe D. Carlos de Navarra», «Crónicas de los Reyes de Navarra». Contiene: 1.º Crónica del Principe de Viana, (fols. 189-279), 2.º carta de Pedro Fernandez, 3.º Crónica de Juan de Jaso, 4.º Crónica de Pedro de Valencia, 5.º Navarra Regum Epilogus incerto auctore, 6.º Crónica de Garcia de Eugui, 7.º Crónica de Garci Lopez de Roncesvalles, 8.º Crónica de Sancho de Albear, 9.º Compendio Historial de lo sucedido en el reyno de Aragón en los años 91 y 92 quando entró en él el ejercito del rey D. Felipe Nuestro Señor, 10.º Aponte a Gerónimo Zurita proponiéndole algunos reparos sobre lo que éste dice en sus Anales acerca de los primeros reyes de Aragón y Navarra y respuestas de Zurita a cada uno de los reparos. Mediras: 320 × 215 mm. La crónica ocupa dentro del volumen los folios 127v. al 157v. Una nota al principio advierte que se copió de otro manuscrito de la misma Academia, que llevaba la signatura antigua: Sala 2, Estancia XXII, C. 2. No existen hoy tablas de correspondencia entre signaturas antiguas y modernas en esta Biblioteca, pero el hallazgo allí mismo de un volumen conteniendo otro ejemplar de esta crónica, más antiguo, nos induce a pensar que es este manuscrito, el denominado C, el que sirvió de modelo para la copia efectuada por Traggia. El análisis detenido de las variantes de ambos manuscritos, según veremos más adelante, corrobora esta afirmación.

F.—Real Biblioteca de El Escorial, N-I-13. Forma parte de un volumen de 215 hojas de papel, encuadernado en pergamino. Letra de finales del xv o principios del xvi, caja: 196 × 220 mm. Al parecer, este manuscrito procede de la biblioteca del Conde-Duque. Es un fragmento de la crónica que resume únicamente los reinados de Carlos II el Malo y parte del de Carlos III el Noble. Ocupa dentro del volumen los folios 34r. al 37r. según la moderna numeración en cifras árabes y los folios LI al LIII en la antigua romana. Tiene algunas manchas de humedad que en ocasiones dificultan e impiden su lectura.

R.—Madrid. Biblioteca Nacional, n.º 746. Olim D-80. En papel, letra del siglo xvi, ocupa los folios 217-218v de un volumen de 289 folios más 10 en blanco; medidas: 305 × 210 mm. Encuadernado en pergamino de la época y cuyo tejuelo dice: «Privilegios Reales antiguos a las iglesias de Aragón». Es un breve resumen de la crónica que estamos estudiando, con algunas notas marginales explicativas en letra posterior y algunas frases subrayadas para destacarlas del resto. Lleva este resumen el siguiente título: «Algunas cosas notables de la Coronica de Garci Lopez de Roncesvalles». Empieza directamente en Iñigo Arista y sigue la sucesión de reyes de Navarra hasta Carlos II, omitiendo algunos. Copia a continuación literalmente los dos apéndices de la crónica del tesorero que hacen referencia a la unión y posterior separación de Navarra con Francia y a los ascendientes de Carlos III; cita el nombramiento de Garci López para su cargo y la procuración dada por el rey a su esposa Leonor. Termina este resumen con el epílogo completo de las fuentes utilizadas, y la fecha de la reconquista de algunas ciudades.

5. CLASIFICACION DE LOS MANUSCRITOS

Todos los manuscritos conservados de esta crónica responden a copias tardías respecto al original hoy perdido o desaparecido; éste, según hemos señalado anteriormente, debía corresponder en sus características de formato y letra a las que presenta el compto de 1404, redactado por el tesorero Garci Lopez de Roncesvalles, del que formaba parte.

Dada pues la imposibilidad de conocer la crónica, tal y como la escribió Garci López por su propia mano, hemos analizado detenidamente estos cinco manuscritos que hoy existen, a fin de poder establecer las diferencias que entre ellos presentan, e intentar averiguar cuál de todos ellos ha sido el menos viciado por los copistas.

Partiendo de una minuciosa confrontación de las variantes contenidas en estas copias, hemos comprobado que A —que es el manuscrito conservado más antiguo— es el que ostenta menor número de omisiones, siendo también el más correcto en sus grafías y por tanto el que parece reflejar con más fidelidad el texto de la crónica del tesorero. Si a esto añadimos que el original empezó a copiarse por primera vez a mediados del siglo XVI, y que este manuscrito A es de la misma época o poco posterior, es posible conjeturar que pudiera copiarse directamente el original o a lo sumo que exista entre ambos un único enlace o copia intermedia.

Este manuscrito A, que parece en conjunto mucho más perfecto que los restantes cotejados, presenta, no obstante, ciertas lagunas, malas lecturas e incluso alguna pequeña omisión que no se recoge en ninguna de las otras copias más tardías [22]. Es ésta,

---

22. He aquí algunas variantes que sólo aparecen en A; *omisiones:* [62] 5 «et morio»; *lagunas:* [40] 1 «acomendada», 2 «d'Anglaterra, madre del rey

pues, una copia bastante perfecta pero que se presenta aislada, con pocos puntos de contacto en sus variantes con las restantes y que por tanto no pudo ser el vínculo de transmisión desde el original a las demás copias.

En efecto, los manuscritos B, B₁, C y D forman un grupo muy homogéneo en sus variantes que obliga a pensar en un modelo común distinto de A que les transmitió características comunes, o en una dependencia directa entre ellos. Los cuatro comienzan con el mismo epígrafe: «Esta choronica y capítulos que están con ella...», y todos ellos igualmente presentan incompleta el acta de la coronación de Carlos III.

El estudio comparativo de los cuatro manuscritos nos ha permitido determinar con bastante claridad que B₁ es copia directa de B y D copia también directamente a C. Además B y B₁ son dos textos análogos incluso en formato y letra; son copias coetáneas y realizadas por una misma mano. Teniendo esto en cuenta, resulta difícil asegurar cuál de ellas es anterior y sólo podemos guiarnos por hipótesis. Siendo la única diferencia notable entre ellas una omisión de B₁ respecto a B que luego se ha subsanado en el margen[23], nos parece más lógico apoyar la idea de que B₁ tuvo por modelo a B. Parece menos probable que B corrigiera la omisión, incorporando al texto la nota del margen, máxime si se tiene presente que el copista estaba acostumbrado a dejar en el margen otras notas que son comunes a ambas copias.

Más clara se presenta la dependencia de D respecto a C. Además de la indicación que encabeza el manuscrito D advirtiendo que copió otro ejemplar de la misma Academia —según hemos hecho constar en su descripción—, la confrontación de ambos manuscritos demuestra que D recoge, sin excepción, todos los errores y omisiones contenidos en C, añadiendo además, otros que le son propios[24].

Edoart», [50] 4 «LXXX.º», [91] 6 «separación»; *malas lecturas:* [11] 3 «milesima XXIII» por «1123», [11] 4 «milesima XXXIIII» por «1134», [39] 1 «Arnungot» por «Armingot», [82] 3 «dello» por «dollor», [84] 2 «noviembre» por «nombre» y [93] 6 «II.º dia» por «4.º dia».

23. Esta omisión aparece en el parágrafo [79] 1, 11-14: «alferiz...*alferiz*».

24. La coincidencia entre C y D se aprecia con facilidad en el aparato crítico que acompaña al texto de la crónica. Por ello, sólo señalamos aquí las omisiones propias más importantes de D respecto a C. Son: [4] 1 «aqui», [55] 2 «sobre el qual rey de Navarra», [78] 1 «fue fecho papa», [90] 6 «et aqui es», y [92] 5 «fijo».

Sólo queda, pues, por determinar la relación que pudiera existir entre los manuscritos B y C. Ya hemos señalado cuando menos dos características que le son comunes: el encabezamiento y la coronación de Carlos III. A ello pueden sumarse gran cantidad de analogías [25] que van desde la omisión de frases enteras hasta malas lecturas, alteraciones en el orden de las palabras, lagunas, etc. Por su parte, C presenta algunas omisiones que le son propias [26] y que no se recogen en B, hecho que a la inversa no se produce nunca. Si a esto añadimos que las únicas lecturas diferentes entre ambos manuscritos se reducen a palabras que teniendo a la vista el manuscrito B son difíciles de interpretar —por estar algo borrosas o por ser abreviaturas que un copista poco preparado no ha sabido desarrollar—, llegamos a la conclusión de que el copista de C tuvo por modelo el manuscrito B, recogiendo y ampliando sus errores.

Finalmente, una vez establecidas las relaciones existentes entre los cinco manuscritos conservados de la crónica, podemos intentar determinar si alguno de ellos pudo servir de modelo al copista del manuscrito R. Es un resumen de la crónica que no pudo tener por modelo a A ya que no consigna un error de éste —la fecha del nombramiento del tesorero—, y en cambio sí recoge la omisión de las calendas en determinadas fechas, lo cual es propio del grupo de copias que encabeza B. Pero como B se escribió con posterioridad al resumen hay que pensar que R tuvo por modelo no a B sino a otra copia anterior a ésta, que fue la que transmitió a ambos estas omisiones.

Tras estas consideraciones, pasamos a representar por medio de un gráfico la relación de dependencia que existe entre las copias y el original, al que hemos denominado O, señalando por medio de X los enlaces perdidos.

---

25. Son tan numerosas las variantes idénticas en ambos manuscritos, que hemos optado por señalar sólo algunas omisiones importantes, por ser suficiente para nuestro propósito. He aquí algunos ejemplos: [40] 3 «Navarra... Navarra», [42] 1 «regno... regno», 2 «Phelip Fermoso... Phelip Fermoso», [64] 2 «Francia... Francia». Pueden multiplicarse estos ejemplos a la vista del aparato crítico de la edición.

26. Omisiones propias de C que no existen en B: [41] 5 «dia», [65] 3 «haber», [72] 1 «campo... campo», [86] 2 «que Dios mantenga, es guarda de la Tor en Pamplona», [92] 18 «ley o condición».

He aquí el gráfico:

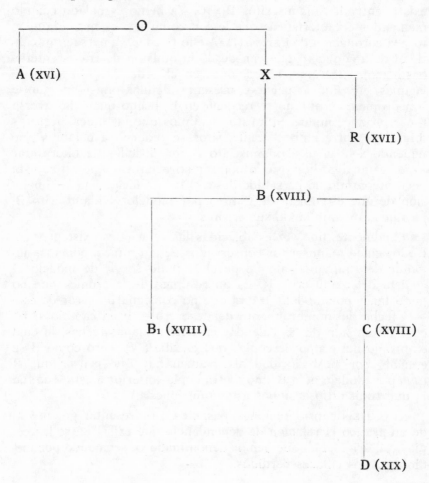

6. EL MANUSCRITO F

Este manuscrito presenta ciertas peculiariades que merecen ser consideradas aparte. En primer lugar, hay que hacer notar que el texto aparece incompleto y desconocemos si este resumen incluía o no, en su origen, toda la sucesión de reyes navarros. El fragmento que se ha conservado no lleva ningún título y empieza su narración a la mitad del primer párrafo de la crónica dedicado a Carlos II. Sigue en este reinado la misma ordenación en los acontecimientos que la presentada por Garci López de Roncesvalles y la primera redacción de la crónica del Príncipe de Viana [27].

El hecho de que el manuscrito que analizamos contenga solamente los reinados de Carlos II y el comienzo del de Carlos III, que son los que aparecen con mayor similitud en ambas crónicas, nos hizo dudar, en un principio, sobre cuál de ellas tendría a la vista el autor de este resumen. La segunda redacción de la crónica del Príncipe pudimos desecharla plenamente después de una primera lectura, por ser menos extensa en la narración del reinado de Carlos III que lo aportado por este resumen.

Respecto a la primera redacción de la crónica del Príncipe, un cotejo más minucioso, nos ha demostrado la imposibilidad de que sirviera de modelo a este fragmento, al menos tal y como ha llegado hasta nosotros esta primera versión en todas sus copias. En efecto, todas ellas contienen una omisión, en lo referente a los hijos de la infanta Juana, hija de Carlos II, que les impide haber servido de base a la redacción del manuscrito F.

Este manuscrito, por su contenido, aparece notablemente in-

---

27. Se halla en prensa mi estudio y edición crítica de la *Crónica del Príncipe de Viana*, que publica la «Institución Príncipe de Viana», de la Diputación Foral de Navarra.

fluido por la crónica de Garci López de Roncesvalles, presentando con ella gran similitud aunque no plena identidad. Si bien resume las mismas noticias que el tesorero, con el mismo orden y utilizando incluso el mismo léxico, aporta sin embargo, algunos detalles, históricamente ciertos, que no se contienen en la obra de aquél.

Dado su interés, enumeramos a continuación las aportaciones a la crónica de Garci López contenidas en este resumen, señalando el parágrafo que les correspondería en la edición:

[64] Ramón de Esparza era capitán en Cherburgo cuando esta ciudad fue atacada pero no tomada por el rey de Francia en 1377.

[68] El infante de Castilla, tras levantarse del sitio de Gorraiz, rindió Mendigorría y Larraga por mediación de Iohan Remiriz; incendió además muchos palacios y casas nobles en otras partes del reino y en la cuenca de Pamplona.
Se incluye también un juicio condenatorio al comportamiento de dicho infante y de los Arellano, traidores a Navarra.

[74] Subraya los derechos de Juan de Castilla al trono de Portugal por su mujer D.ª Beatriz y la oposición de los portugueses, así como el fracaso del sitio de Lisboa.
Señala la muerte de Juan Remirez de Arellano el mozo, en la batalla de Aljubarrota.

[79] Añade la cantidad a que ascendía el empeño de Cherburgo a los ingleses: 25.000 francos.

Si a todas estas noticias, no contenidas en la crónica de Garci López, unimos el hecho de que el manuscrito F corresponde por su tipo de letra a principios del siglo XVI, fecha en que la crónica del tesorero aún no había empezado a divulgarse fuera del ámbito de la Cámara de Comptos donde se encontraba, habrá que pensar que fue allí, en los archivos navarros, y a la vista del original, donde el autor de este resumen realizó su labor, y que fue el lugar y su conocimiento del mismo lo que le permitió ampliar y puntualizar estas noticias con documentos u otros escritos encontrados en estos archivos.

7. PLAN DE LA CRONICA

Como ya hemos apuntado anteriormente, esta crónica fue concebida por Garci López de Roncesvalles como prólogo a su primer volumen de Comptos y esta idea presidió en todo momento tanto la organización del texto como la misma narración.

El fin para el que realizaba el trabajo le obligaba a incluir el acta de la coronación de Carlos III y su nombramiento para el cargo de tesorero por este mismo rey, documentos de rigor que debían preceder al primer volumen de Comptos de cada nuevo tesorero, según puede constatarse por el examen de los restantes registros conservados. Además, la circunstancia de que, en ese año, el rey se ausentase del reino y dejara por lugarteniente a la reina D.ª Leonor, le obligaba asimismo a incluir el acta de este nombramiento de lugartenencia, con el fin de legitimar las órdenes de pago procedentes de la reina, en virtud de sus prerrogativas, en ausencia del rey.

En segundo lugar, la concepción de su trabajo no como una finalidad en sí sino como un prólogo destinado a servir de guía a los oidores y oficiales reales que acudieran a consultar sus registros, implicaba en el cronista un continuo afán de brevedad que se trasluce a lo largo de toda la crónica.

Siguiendo una pauta que él mismo se había trazado, el cronista acude a las fuentes buscando en ellas, con honestidad e imparcialidad, los datos concretos que le permitan fijar la sucesión de los reyes y los acontecimientos más significativos de cada reinado, pero eludiendo a la vez las narraciones extensas. Sólo en ocasiones, cuando los hechos que omite o trata someramente son importantes para comprender la historia del reinado —tales como la contienda que dio origen a la sucesión de la reina Juana, hija de Enrique I, o la guerra de la Navarrería—, el autor justifica su actitud, remitiendo a otras fuentes que completen su información.

Su deseo se centra en dar una idea clara de la sucesión de los reyes navarros desde su origen remoto hasta Carlos III, todavía reinante, y, sobre todo, en resaltar la legitimidad de la sucesión a la corona, cuestión que trata con gran detalle dentro de la concisión que preside toda la obra.

Influido seguramente por otros escritos antiguos, arranca su crónica desde Jesucristo, pasando rápidamente a la evangelización de Navarra, la ocupación de España por los moros y la reconquista de algunas ciudades, para llegar a la sucesión de reyes navarros donde centra su narración. No obstante, sigue manteniendo la misma sobriedad al historiar las primeras dinastías navarras, comenzando por Iñigo Arista; únicamente alcanza mayor amplitud en el relato de los reinados de Carlos II y Carlos III, hasta 1404 fecha en que finaliza su crónica propiamente dicha.

A continuación, como epílogo de su obra y clara manifestación de su escrupulosidad en el trabajo, el cronista detalla las fuentes de que se ha servido y da las gracias por su colaboración a todas aquellas personas que directa o indirectamente le han ayudado.

Finalmente, y antes de los apéndices que contenían los documentos de rigor a que hemos aludido anteriormente, Garci López —temeroso todavía de no haber cumplido suficientemente su propósito en cuanto a brevedad y claridad en la exposición se refiere— adiciona dos breves resúmenes que contienen los dos acontecimientos más significativos para comprender la historia de Navarra: el primero de ellos refiere la unión de la corona navarra con Francia y su posterior separación; el segundo enumera la ascendencia de la dinastía reinante que entronca por línea directa con San Luis de Francia.

En conjunto, Garci López presenta su crónica con el siguiente esquema:

1.—Un prólogo del autor en el que expresa y justifica su intención de hacer preceder el acta obligatoria de la coronación del rey y su nombramiento como tesorero —en su primer registro de Comptos— de un breve resumen de la historia de Navarra.

2.—La Crónica propiamente dicha, que arranca desde Jesucristo y comprende la sucesión de reyes navarros desde Iñigo Arista hasta el año 1404 en el reinado de Carlos III.

3.—Un epílogo donde detalla las fuentes utilizadas.

4.—El acta de la coronación de Carlos III.

5.—Dos apéndices que resumen parte del texto: el primero referente a la unión y posterior separación de Navarra con Francia, y el segundo acerca de la ascendencia de Carlos III, para recabar su entronque directo con San Luis de Francia.

6.—La copia del documento por el que fue instituido como tesorero del reino (Burdeos, 4 diciembre 1403).

7.—La copia de la carta de procuración dada por Carlos III a su esposa la reina D.ª Leonor, en vísperas de su viaje a Francia (Saint Palais, 22 noviembre 1403).

Su estilo es sobrio, conciso y rutinario; la única división dentro del texto está marcada por parágrafos encabezados por «Item»; los acontecimientos se suceden cronológicamente y el conjunto queda objetivamente lacónico. Está claro que el autor no ha pretendido hacer una obra literaria, y que su única meta ha sido servir de guía de consulta a todo aquel que deseara conocer el pasado histórico del reino. Dentro de su estilo puramente narrativo, los reyes se convierten en la principal materia y alma de la crónica, y solamente en el reinado de Carlos II —debido a la mayor amplitud que concede al relato y a su conocimiento directo del mismo— da entrada a otros personajes, entre ellos algunos rebeldes que son siempre tratados de forma peyorativa.

Así, la crónica parece estar concebida por el autor a modo de glorificación de la estirpe real, donde los reyes se presentan ante el lector como modelo de todas las virtudes, y cuyas acciones, en todo caso, no está permitido someter a juicio. Cabe, eso sí, confiar en la providencia de Dios que ha demostrado a lo largo de la historia su influencia para ordenar con justicia los destinos de la Corona.

Finalmente, hay que destacar en la obra del tesorero su marcado interés por la cuestión de la legitimidad de la sucesión a la Corona, interés que queda patente con la inclusión al principio de la crónica del primer capítulo del Fuero, sobre cómo ha de alzarse rey en Navarra, y con la certificación a lo largo de la obra de todos aquellos reyes que juraron los fueros; todo lo cual, unido al inusitado detalle con que trata los ascendientes de Carlos III y sus inexcusables derechos al trono, nos lleva a pensar que esta cuestión pudo ser el fin principal que se propuso resaltar en su crónica.

8. LAS FUENTES

Aunque las fuentes utilizadas por Garci López de Roncesvalles en la redacción de su crónica van a ser objeto de análisis detallado en otra parte de este trabajo, en la cual señalaremos el origen de las noticias incorporadas a cada párrafo de su obra —en la medida en que ello nos ha sido posible—, creemos que será útil, no obstante, dar aquí una visión de conjunto de los escritos que le sirvieron de base.

Esta labor se simplifica con la ayuda que nos presta el autor al incluir en su crónica un epílogo [28] en el que detalla todas las crónicas que tuvo a su alcance y que utilizó en mayor o menor grado en la realización de la misma. Sin embargo, el principal valor de este epílogo no reside en el hecho de que nos haya facilitado la identificación y localización de algunos escritos, sino, especialmente, en darnos a conocer la existencia de otras crónicas hoy desaparecidas.

En primer lugar, el autor cita entre sus fuentes la obra de Ximénez de Rada [29], historia general de los reyes de España, que dedica algunos capítulos a las dinastías navarras. Su influencia en la crónica de Garci López es notable para casi todo el período que abarca la obra del Arzobispo de Toledo, y las alusiones a esta crónica en los primeros reinados son frecuentes. El tesorero ha recogido todas las noticias referentes a los reyes navarros que se hallaban dispersas en la obra del Toledano hasta formar un cojunto armónico donde los hechos se suceden cronológicamente en cada reinado y donde cada rey responde a una unidad, aunque para ello haya tenido que alterar el orden establecido por Ximé-

---

28. Véase el parágrafo 85 de la edición.
29. *De Rebus Hispaniae* donde dedica a historiar las dinastías navarras los capítulos XXI-XXVI del libro V. La crónica llega hasta 1243.

nez de Rada o refundir varios de sus capítulos, condensándolos en un sólo párrafo [30]. Preocupado por componer ante todo una historia breve y concisa, elude todas aquellas cuestiones políticas con Castilla, que el Toledano trata con mayor amplitud, y se ciñe exclusivamente a la historia navarra. Pero no hay duda de que esta crónica fue su principal fuente de información hasta el reinado de Teobaldo I. Por entonces, parece que Garci López ya había encontrado otros escritos que le permitieron no sólo el poder proseguir su historia al terminar la obra del Toledano, sino incluso alejarse de ella aun antes de que terminara; prueba de ello es que su narración del reinado de Teobaldo I ya no coincide con aquella fuente. Siguiendo el testimonio prestado por el autor, la nueva fuente donde se inspiró fueron unas crónicas de los *Sanctos Padres los Papas*, que escribió Tholomeo y en las cuales dice Garci López que se hacía mención de muchas incidencias de los reyes de España. Corresponde esta alusión a la obra de Ptolomeo de Fiadonibus o Ptolomeo Lucensis [31] que fue prior de la orden de Predicadores y discípulo de Santo Tomás de Aquino y murió en 1327. Escribió una historia eclesiástica desde el nacimiento de Cristo hasta 1312. Parece ser que ejemplares de ambas crónicas existían entonces en la iglesia de Santa María de Pamplona y que fueron cedidas por el prior de la misma, Martín de Eusa [32], utilizándolas sucesivamente.

Otra importante fuente de información, que cita con el nombre de «Vincencio Historial», corresponde sin duda al *Speculum Historiale* de Vicente de Beauvais o Bellovacensis. Este historiador, que murió en 1264 y que pertenecía también a la orden de Predicadores en Royemont, fue consejero de la corte de Luis IX y escribió la obra citada como parte de otra más general a la que denominó *Speculum maius*, dividida en tres partes: 1.º Speculum

---

30. Véanse por ejemplo los reinados de Sancho el Mayor y de Sancho el Fuerte. Para la redacción de cada uno de ellos Garci López ha resumido noticias de tres capítulos distintos de la historia de Ximénez de Rada: los capítulos XXIV del libro I y I y VI del libro VI para el reinado de Sancho el Mayor y caps. XXX, XXXII y XXXXII del libro VII para el de Sancho el Fuerte.

31. Escribió además unos *Annales Tuscorum* de 1061 a 1303. (POTTHAST: *Bibliotheca Historica Medii Aevi*, t. II, pág. 945).

32. Martín de Eusa inició su mandato como prior en Santa María de Pamplona el 9 de marzo de 1392, y continuó en el mismo hasta el 9 de septiembre de 1414. Fue también vicario general de la sede vacante en 1406-1407 a la muerte de Miguel de Zalba. (GOÑI GAZTAMBIDE, *Los Obispos de Pamplona en el siglo XV*, «E.E.M.C.A.», VII (1962), pág. 367).

Naturale, sobre ciencias naturales; 2.º Speculum Doctrinale, consagrado a las ciencias pertenecientes a la cultura universal del XIII y especialmente útil a los teólogos, y 3.º Speculum Historiale, que engloba la historia del mundo desde la creación hasta el reinado del emperador Federico II (1244); en esta parte el autor no da más que extractos de otros autores y los presenta como tales sin esconder que su oficio es sólo el de copista. El *Speculum Historiale* aparece dividido en 31 libros; consiste en una compilación, la mejor del siglo XIII, donde normalmente cita el autor lo que ha utilizado; así en el libro XVI dedica 71 capítulos a la obra de San Jerónimo, el XVII contiene fragmentos de San Ambrosio y San Crisóstomo y dedica el XVIII a San Agustín. Utiliza a Gregorio de Tours para historiar el pasado de los francos y a Turpin, a quien designa como el principal historiador de Carlomagno. Pero lo más interesante de su obra son los 6 libros últimos, dedicados los 4 primeros al siglo XII y los dos últimos a la primera mitad del XIII, incluyendo la primera Cruzada de San Luis [33].

Pero al lado de estas obras de carácter general, Garci López contó con otros escritos referidos más concretamente a la historia navarra. Entre ellos cabe destacar dos versiones del *Fuero General de Navarra* que le prestaron dos oidores de la cámara de Comptos, Juan de Athaondo y Pedro García de Eguirior [34]. El cronista incorporó a su texto únicamente un resumen del capítulo I del texto legal, es decir, aquél que hace referencia al modo en que deben ser alzados los reyes en Navarra, pero utilizó además una serie de noticias históricas que ambos ejemplares contenían al final del Fuero. Bajo el título general de *Linaje de los Reyes de España* constituyen una serie de «Crónicas» diversas en su contenido y en la lengua que, sin embargo, se presentan copiadas sin interrupción [35]. La última de todas ellas consiste en un resumen de los reyes navarros desde García de Nájera hasta Enrique I, es decir hasta la incorporación del reino a la corona francesa, y pasó casi íntegramente a la crónica de Garci López. Son unos

---

33. Véase SCHNÜRER, *L'Eglise et la Civilisation au Moyen Age*, París 1935, t. II, págs. 584-585 y POTTHAST, *Bibliotheca Historica Medii Aevi*, t. II, pág. 1.095.

34. Juan de Athaondo había sido nombrado consejero y oidor de los Comptos por Carlos III el 1 de diciembre de 1400 en Pamplona y Pedro García de Eguirior, dos años después, el 1 de abril de 1402, en Olite. (*Catálogo de Comptos*, t. XXIII, n.º 964 y t. XXV, n.º 139).

35. Sobre ellas, véase la edición y estudio de A. UBIETO, *Coronicas Navarras* (Valencia, 1964).

anales, redactados en latín y dedicados especialmente a presentar las fechas de muerte de los sucesivos reyes pamploneses, utilizando como sistema de datación el año de la Encarnación. Insisten en precisar que los reyes juraron y confirmaron el Fuero, lo cual, según Ubieto [36], parece indicar que se redactaron con motivo de la introducción de la Casa real de Francia en el trono de Navarra, tras la muerte de Enrique I (1274). La lista y la cronología se presenta perfecta, aunque omite la muerte de Sancho Ramírez (1094) y la correspondiente noticia de su reinado.

No existe la misma exactitud cronológica en otros datos que el tesorero sacó del resto de los anales que forman estas historias de España al final del Fuero, pero Garci López las incorporó igualmente a su crónica sin sospechar el error.

El mismo Juan de Athaondo —que le había prestado un ejemplar del Fuero— debió prestarle, según la descripción de sus fuentes, otra crónica, pero nada dice acerca de ella y es una de las que hoy podemos considerar como desaparecidas o no identificadas.

Miguel Laceilla [37], mercader en el Burgo de San Saturnino, poseía al parecer varios manuscritos de su propiedad que también prestó al tesorero. Lacarra [38] señala que en su poder estuvo un manuscrito de la *Canción de Anelier* que constituye la fuente principal para el estudio de la guerra de la Navarrería y que fue utilizada por el Príncipe de Viana para la redacción de algunos capítulos de su obra. Es muy posible que también le fuera prestada a Garci López entre otros escritos a los que el mismo alude, pero no la utilizó. De hecho, al mencionar este asunto en el parágrafo 45, el cronista afirma poseer otros escritos en donde se narran estos acontecimientos con más detalle; dice textualmente: «et d'esta discension el escrivano d'este libro non quiere mas poner por abreviar; et en otros logares sen faze mencion largamente». Como en otras ocasiones, el cronista desechaba aquí una fuente de inapreciable valor en virtud de alcanzar la brevedad deseada.

---

36. Ibidem, pág. 21.
37. Aparece frecuentemente en la documentación coetánea como abastecedor de los reyes en paños y otras provisiones para su hostal. En 1414 y 1416 fue designado como representante del burgo de San Saturnino en Cortes Generales y, más tarde, en 1423, llegó a ser alcalde de dicho burgo (*Catálogo de Comptos*, t. XXXI, n.º 41, t. XXXII, n.º 205 y t. XXXV, n.º 481).
38. LACARRA, *Historia de Navarra*, t. II, pág. 222.

Respecto a las crónicas que le prestó Simón de Echarri [39] y que habían pertenecido al cardenal de Pamplona don Martín de Zalba, ningún indicio a lo largo de todo el texto de la obra nos ha permitido averiguar cuáles fueron y nada podemos añadir sobre ellas, salvo constatar su existencia por el testimonio que nos ha dejado el autor.

Pero además de todos estos escritos antiguos, Garci López contó con otros materiales de primerísima mano, entre los que cabe citar por su importancia la información directa recibida de sus contemporáneos y referida a hechos políticos recientes en los que habían sido protagonistas o testigos presenciales. La transición de las fuentes escritas a este otro tipo de información oral se aprecia claramente en el estilo de la narración al iniciarse el reinado de Carlos II. La alusión de Garci López a la información recibida de Miguel des Mares, clérigo del rey Rey Carlos II, no hace sino corroborar un tipo de fuentes que ya quedaban patentes en su trabajo con la simple lectura del texto y el cambio de objetivos en el mismo. Ya no se limita a consignar los hechos lacónicamente tal y como los encontraba en las fuentes escritas, las cuales incluso resumía, sino que, en este reinado, su narración se vuelve brillante y abundante en detalles ante unos hechos, no siempre los más transcendentales de la política de Carlos II, pero que, sin embargo, eran los que llegaban hasta él plenos de actualidad e interés. Su relato se convierte así en un modelo de puntualidad y precisión, y únicamente tenemos que lamentar que no haya apurado al máximo estas informaciones de indiscutible autoridad, así como su propia experiencia de algunos acontecimientos.

Debido a su cargo, Garci López estuvo en contacto con toda la documentación que se conservaba en el Archivo del Reino, lo que le facilitó su consulta y le permitió extractar algunos escritos. Se sirvió especialmente de la documentación para los reinados de Carlos II y Carlos III, pero no despreció tampoco aquella que pudo conocer de tiempos más pretéritos, por ejemplo el documento acerca de la repoblación del burgo de San Saturnino de Pamplona.

Otras noticias acerca de los escritos utilizados por el tesorero

39. Era mercader en la ciudad de Pamplona (*Catálogo*, t. XIV, n.º 889 y t. XXXI, n.º 256). En 1386 ostentaba el cargo de guardasellos del rey en Pamplona (*Catálogo*, XVI, n.º 93). Y en un doc. de 1443 se hace referencia a cierto cofre con escrituras y cuentas que entregó a García López de Roncesvalles y que se hallaba en la Cámara de Comptos (*Catálogo*, XLV, n.º 1.043).

en la redacción de su obra, las encontramos dentro del texto mismo de la crónica. En el parágrafo 6, refiriéndose a la leyenda de San Saturnino, Garci López alude a una obra de Bernard Gui denominada *Specullo de la vida de los Sanctos*. Efectivamente, Bernardus Guidonis [40], que fue religioso de la orden de Santo Domingo, inquisidor de Toulouse (1307-1323) y obispo de Lodeve desde 1324 hasta su muerte el 30 de diciembre de 1331, escribió un *Speculum Sanctorale* dividido en cuatro partes, además de otras obras diversas; sin embargo, no creemos que Garci López conociera y abordara directamente esta obra. La mención de ella le fue impuesta por la copia literal que el tesorero hizo de las *Actas de San Saturnino*, en las que aparece la misma cita alusiva a aquel historiador. Estas *Actas de San Saturnino* se conservan hoy en Pamplona, en el archivo parroquial de la iglesia de San Cernin, y sería uno de los escritos particulares, no determinados, que le prestaron al tesorero [41].

Otro de estos escritos, a los que no alude específicamente en el epílogo dedicado a las fuentes, sería una crónica francesa que cita en el parágrafo 41 al narrar los motivos que dieron origen a la renuncia de Juana, hija de Luis Hutin, a la corona de Francia y Navarra, así como toda la línea sucesoria de reyes franceses desde Felipe el Hermoso hasta la separación de Navarra de la corona francesa. De ella dice únicamente que perteneció a la reina Blanca. Creemos que esta reina tuvo que ser la hija de Juana II y Felipe de Evreux, que casó en 1350 con Felipe VI de Valois, tras haber estado prometida con el infante Pedro de Castilla, hijo de Alfonso XI. La época en que vivió, poco después de los acontecimientos que parece narrar la crónica, así como la circunstancia de estar casada en Francia, nos permiten creerla poseedora de esta fuente francesa, que no hemos podido localizar.

Pero además de todas estas crónicas mencionadas implícita o explícitamente por el autor, la lectura del texto nos ha proporcio-

---

40. Bernard Gui pertenecía a una familia noble del Limousin y había nacido en 1261 o 1262, profesando en la orden de Dominicos en 1280. Antes de ser trasladado a la sede de Lodéve, en sustitución de Juan de la Tissanderie, ya había ostentado la dignidad de obispo por un año en Tuy (Galicia), nombrado por el papa Juan XXII (DEVIC, C. y VAISSETE, J., *Histoire générale de Languedoc*, t. IX, págs. 395-396). Empezó a escribir en 1297 y se hizo célebre por diversas obras, destacando entre ellas «Praeclara Francorum facinora»; una enumeración completa de todos sus escritos puede verse en *Repertorium Fontium Historiae Medii Aevi*, t. II, págs. 507-514.

41. Es un volumen de principios del siglo XV que narra la leyenda del Santo y cuyo texto pasó casi literal a la crónica de Garci López de Roncesvalles.

nado la convicción de su conocimiento de otra crónica que utilizó en escasas ocasiones: nos referimos al *Liber Regum*[42]. Mucho más escaso en noticias referentes a los reyes navarros que la obra de Ximénez de Rada, su narración no fue por esta razón acogida por Garci López con el mismo entusiasmo, y prefirió en todo momento el relato del Toledano. Sin embargo, en el parágrafo 16, al referir la muerte de García Iñíguez, el cronista deja clara constancia de que en aquellos momentos tenía a la vista al menos dos crónicas: la de Ximénez de Rada que cita Larumbe como el lugar de la muerte de este rey y el *Liber Regum* que da como nombre de dicho lugar Lecumberri.

Finalmente, no hay que olvidar la influencia que ejerció en el autor de esta crónica su conocimiento de la Biblia según se trasluce especialmente en el prólogo de la obra.

---

42. El *Liber Regum* dedica a las dinastías navarras poco más de un folio que corresponden en la edición de L. COOPER a las págs. 35-37.

9. VALOR HISTORICO DE LA CRONICA

Para emitir un juicio sobre la crónica creemos necesario hacer un examen previo de su contenido, a fin de poder establecer con exactitud el crédito que se le ha de conceder.

Su autor ha realizado una obra de gran amplitud cronológica, en la que incluye dos reinados que le fueron contemporáneos y un largo período precedente que sólo pudo conocer a través de testimonios escritos. El caso no es nuevo en la historiografía medieval; los cronistas tuvieron un procedimiento común al escribir sus crónicas, añadiendo a las noticias anteriores —copiadas con mayor o menor fidelidad— la historia de los reinados en que vivían o que conocían por sus inmediatos antepasados.

Ya hemos señalado anteriormente cómo la diversidad de fuentes utilizadas por Garci López marcó una pauta en la concepción misma de su crónica. El cronista trató someramente las primeras dinastías navarras y únicamente alcanzó mayor amplitud su relato en los reinados que le fueron coetáneos. De acuerdo con esto, a la hora de enjuiciar su obra históricamente, creemos conveniente dividirla en dos partes: la primera comprende los orígenes del reino y las sucesivas dinastías navarras hasta Juana II y Felipe de Evreux; la segunda los reinados de Carlos II y Carlos III. Compuso la primera parte con todos los escritos antiguos que tuvo en su poder, seleccionando entre ellos los que creyó de mayor autenticidad y que encajaban mejor en su propósito; escribió, en cambio, la segunda con testimonios orales de personas directa o indirectamente implicadas en los hechos que relataba y sacó los datos precisos de la documentación que se conservaba en los Archivos del Reino y a la que por su cargo de tesorero tenía acceso. Conoció, sin duda, muchos de los acontecimientos que narra a través de testigos presenciales que aún vivían cuando él escribía esta crónica, e incluso por su propia experiencia como persona muy vinculada a la corte de Carlos III. Por todo ello, la importancia histórica del texto varía al considerar una u otra parte del mismo, aunque la honestidad e imparcialidad del autor quedan patentes a lo largo de toda la obra.

Garci López, al intentar narrar los orígenes del reino, se vio obligado a acudir a antiguas crónicas y escritos confusos, no pudiendo evitar transmitir a su obra todos los errores y fábulas en que estaban envueltos dichos orígenes. Siguió las compilaciones que estaban en vigor y acudió a ellas con la misma credulidad e ingenuidad con que lo hicieron todos sus contemporáneos; las mutiló e interpoló sin poner nunca en duda su autenticidad. Sin embargo, conforme avanza en su narración y amplía el número de fuentes utilizadas, el cronista, siempre dispuesto a narrar con brevedad pero con la mayor veracidad posible, sabe elegir entre los escritos que tiene presentes y da a su obra mayor validez y autoridad.

Así, si bien los primeros reyes toman un aspecto legendario y su cronología se presenta con grandes errores, lo cierto es que, coincidiendo con una mayor concordancia a partir de García de Nájera, la validez histórica del texto se hace casi absoluta. El autor ha sabido incorporar nuevas fuentes y ha optado para la cronología a partir de este reinado, por unos anales latinos, influido quizá por la confianza que les otorga el hallarse al final de un texto legal de tanta importancia como es el *Fuero General de Navarra*. Con ellos completó la información recogida de la crónica de Ximénez de Rada, que fue la base de toda la redacción de estos primeros reinados. De Ximénez de Rada recogió todas las leyendas y fábulas que ilustran las primeras épocas del reino, y aunque Garci López lo resumió mucho, evitando con ello detalles equívocos, no por esto su crónica deja de ser menos confusa en esta parte que la del Arzobispo. Aceptó siempre su versión de los hechos frente a otras crónicas divergentes y así atribuyó a D. Rodrigo la deshonra de la mujer del conde D. Julián cuando la mayor parte de la historiografía medieval señala como deshonrada a su hija; no obstante, hay que hacer constar que en este caso el cronista halló esta misma versión en el prólogo del *Fuero* lo que sin duda influyó en su decisión.

Pero a pesar de todos los errores que ilustran la primera parte de la crónica, pueden encontrarse ya en ella ejemplos esporádicos del deseo de veracidad y honestidad que animaba a Garci López. Unas veces este deseo se refleja al consignar en su obra la diferente versión de dos crónicas distintas de un mismo hecho; tal es el caso de la muerte de García Iñiguez, aunque su afán de precisión no se basa, en esta ocasión, en un hecho probado históricamente. Otras veces se justifica de no poder consignar en su obra datos que considera importantes, pero que no puede conocer por no hallarse en las crónicas; por ejemplo, el lugar de enterramiento de algunos reyes y el nombre de los traidores que llevaron a cabo las acciones de Peñalén y Rueda. Su afán de perfección y su escrupulosidad le llevan, además, a completar cada reinado añadiendo él mismo el número de años que gobernó cada rey, partiendo de las fechas de su muerte que conoce por las fuentes.

Su labor, pues, en esta primera parte de la crónica se caracteriza por una probada honestidad e imparcialidad. Resume casi hasta el límite los acontecimientos, dejándolos reducidos en ocasiones a una simple enumeración, pero los transmite siempre con fidelidad. Los límites al valor histórico de estos primeros reinados le vienen impuestos por la validez de las fuentes utilizadas, y su objetiva veracidad al verterlas en la crónica es digna de todo elogio.

Según afirma el cronista, al terminar la crónica de Ximénez de Rada, se sirvió especialmente de la *Crónica Romanorum Pontificcum* de Ptolomeo. La probada historicidad de todos los acontecimientos narrados en los reinados correspondientes, en los que destacan de manera especial los asuntos de carácter religioso, nos permite creer en la autenticidad de esta fuente. No siendo necesario consignar aquí la comprobación histórica de cada una de estas noticias, sólo nos interesa destacar que todas ellas han quedado confirmadas por la documentación coetánea. Las disensiones entre la Iglesia y los monarcas durante los reinados de Teobaldo I, Teobaldo II y Enrique I se ajustan perfectamente a la realidad y únicamente apreciamos un error que no sabemos si puede imputarse a Garci López o si ya se hallaba consignado en la fuente: la noticia lleva implícita un deseo consciente de ensalzar la realeza navarra corrigiendo los hechos referentes a la excomunión de Teobaldo I; afirma que el rey fue a Roma al final de su vida y se reconcilió con la Iglesia, cuando, en realidad, no queda ninguna constatación histórica de que lo hiciera realmente.

Es una lástima que el autor, llevado por su nunca suficientemente reiterado afán de brevedad, no utilizara de manera más clara y explícita aquellas crónicas particulares que tenía en su poder y que le habían sido prestadas por algunos jurados de Pamplona; ello nos ha privado de conocer ciertos aspectos interesantes de la historia navarra que sin duda hubieran llegado hasta nosotros de su mano plenos de autenticidad, como a su reconocida probidad correspondía. Por el contrario, omite todo lo concerniente al turbulento reinado de la reina Juana, hija de Enrique I, y se limita a consignar escuetamente la dinastía francesa que reinó en Francia y Navarra conjuntamente a través de una crónica, de procedencia francesa, que poseyó la reina Blanca esposa de Felipe de Valois. La relación de estos reyes es tan somera que apenas merece comentario; únicamente cabe señalar su patente providencialismo que ve en todo la mano de Dios, y su insistencia en precisar los reyes que juraron y confirmaron el Fuero, a fin de tener siempre presente la legitimidad del rey reinante, que es una de sus principales preocupaciones a lo largo de toda la obra.

Con el reinado de Juana y Felipe de Evreux, que puede considerarse digno preámbulo de lo que va a ser la crónica en su segunda parte, empiezan a marcarse las particularidades que darán carácter al reinado de Carlos II. La documentación consultada directamente en los archivos irrumpe como principal fuente de información y con ella empiezan a aparecer aparentes errores cronológicos que en su mayor parte corresponden a un olvido por parte del cronista de consignar que la datación sigue el cómputo de la Encarnación, tan frecuente por lo demás en la documentación navarra de la época.

Es en los reinados de Carlos II y Carlos III donde la crónica va a alcanzar no sólo la plenitud en la exposición sino también su mayor validez como testimonio histórico de esta época. Hasta ahora el autor se había limitado a verter, aunque con gran fidelidad y de ahí su valor, otros escritos antiguos más o menos válidos, pero a partir de este momento la obra cobra valor por sí misma y se convierte en una fuente de información única para el conocimiento de estos reinados. Se inicia aquí la verdadera creación de Garci López, y es esta parte la que da valor a la crónica.

La abundante documentación que tenía a su alcance por su cargo de tesorero, la cercanía de los hechos relatados que le son casi contemporáneos, sus relaciones con los altos dignatarios de la corte que le hacen personales confidencias de sucesos que han presenciado; todo ello, unido a una gran imparcialidad en el tratamiento de los temas, permite considerar esta parte de la obra como un documento de alto valor histórico, cuya importancia queda atestiguada por la literalidad con que la única persona que podía conocer con igual precisión unos años después los acontecimientos de sus más próximos antepasados, el Príncipe de Viana, la vertió casi completamente en su historia del reino.

Como ya hemos apuntado al tratar del reinado anterior, al aquilatar la veracidad histórica de los hechos narrados en el reinado de Carlos II, únicamente puede suponerse algún error en la cronología, nunca en el contenido de la narración, que responde a una realidad que puede probarse casi paso a paso con la documentación coetánea.

El autor utiliza para fechar algunos acontecimientos el año de la Encarnación pero descuida el dejar constancia de ello, precediendo las fechas indistintamente con las expresiones «anno Domini» o «anno», que son las utilizadas normalmente para el cómputo de la Natividad. Teniendo en cuenta este olvido, deben considerarse como correctas según el año de la Encarnación las fechas dadas a la muerte de Carlos II, el 1 de enero de 1386, y la correspondiente a la entrada en Navarra del Príncipe Negro y Pedro I de Castilla en su paso por Nájera, en febrero de 1366. Es correcta también la datación por el año de la Encarnación del viaje a Francia de los dos infantes navarros, Carlos y Pedro, que tuvo lugar en enero de 1378 y que el autor data de 1377, al igual que son exactos todos los acontecimientos que narra en este párrafo. El hecho de que algunos de ellos estén probados históricamente, como la toma de numerosas plazas en Normandía por los franceses y su único fracaso ante Cherburgo, nos permiten afirmar la veracidad de aquellos otros datos que no se hallan documentados: así, por ejemplo, el traslado del infante Carlos al sitio de Cherburgo, la duración de dicho sitio, etc.

Sólo en una ocasión hace referencia Garci López al uso del cómputo de la Encarnación: cuando trata de la deslealtad de Rodrigo de Uriz y señala su prisión el 29 de marzo de 1376; la fecha, sin embargo, en este caso es errónea, el suceso ocurrió el 28 de marzo de 1377 y hay que pensar que el cronista erró al transformar la fecha a este cómputo de la Encarnación, restando un año a una fecha que por ser ya 28 de marzo no le correspondía.

Hay sin embargo otros errores de datación en este reinado que únicamente pueden atribuirse a lagunas en la memoria del cronista y a defectos en la información oral que recibía. Así, no puede aceptarse la fecha del asesinato del condestable de Francia, Carlos de España, en 1355, como afirma la crónica, ya que el hecho tuvo lugar el 8 de enero de 1354, según demuestra la documentación coetánea.

Un claro despiste del cronista se aprecia en su referencia al nacimiento del infante Pedro en Evreux: anota el viaje de la reina a Francia en 1365 y señala el nacimiento de aquél en marzo del mismo año, olvidando que dicho viaje tuvo lugar en noviembre y que por tanto el mes de marzo siguiente correspondería ya a 1366. El autor mismo corregirá este error en otro párrafo de la obra, en el que da la fecha correctamente.

Más extraña nos parece su confusión acerca del viaje a Francia del rey Carlos II en 1369 para negociar la paz de Vernon, y su vuelta a Navarra en 1372; el cronista retrasa un año ambos acontecimientos y aunque esta sincronización entre las dos fechas en principio parecen llevar el error hacia una mala transformación del cómputo de la Encarnación, esto no puede aceptarse porque ambas acciones tienen lugar a mediados del año y por tanto no les afecta en ningún caso un cómputo diferente. Sólo puede considerase como un simple error dentro de la exacta información que nos brinda de este viaje.

Todavía contiene la crónica dos nuevos errores en la datación de dos importantes acontecimientos: el primero de ellos consiste en retrasar un año la puesta en libertad del infante Carlos de Navarra y su vuelta desde Francia; sitúa este viaje en noviembre de 1382, cuando en realidad salió de Francia en octubre 1381 y se reunió con su padre en Caparroso en diciembre del mismo año. Su segundo error consiste en adelantar un año la boda de la infanta Juana, hija de Carlos II, con el duque de Bretaña.

No obstante, tenemos la certidumbre de que en algunas ocasiones, el cronista tenía a la vista el documento que extractaba, según parece indicarlo una expresión suya que se filtra en el texto y dice: «como parece por letra del rey dada...»; en este caso era el Privilegio Real de Mendigorría que presenta exacto en todos los detalles, con la única salvedad de la fecha aunque ello no debe ser atribuido a un error de Garci López sino de los copistas posteriores que no supieron interpretar el original de la crónica, según demuestra el hecho de que una de las copias presente una laguna en el lugar de la fecha.

Tampoco creemos que puede atribuirse al tesorero un nuevo error que señala el día de la batalla de Corcherel el VIII de mayo. El autor conocía muy bien todos los asuntos concernientes a Normandía a través de su principal informador, Miguel des Mares, normando, que seguramente fue testigo presencial de todos ellos antes de su venida a Navarra en 1375, y aunque es permisible un fallo en la transmisión oral, la naturaleza de este error nos inclina a considerarlo más propio de un copista inexperto que no supo interpretar el original y leyó VIII donde ponía XVI, dado que son dos grafías no imposibles de confundir.

Gran exactitud refleja sin embargo nuestro cronista al consignar la derrota sufrida por Beltran Du Guesclin, junto a Carlos de

Blois, frente al duque Juan de Bretaña; la puntualidad en el relato viene a demostrar la expectación que suscitó en Normandía el desarrollo de este enfrentamiento, pese a no intervenir en él directamente los navarros.

Otro aspecto que aparece narrado con gran autenticidad es todo lo referente a la traición de algunos caballeros navarros en estas guerras. Entre estos relatos destaca por su objetividad y sobriedad el dedicado a la traición de Pedro Manrique. Su exactitud en toda la narración, que está corroborada por documentos coetáneos, no puede ponerse en duda, pero lo que llama especialmente la atención es su imparcialidad en el tratamiento del tema. En ningún momento trata de juzgar su acción; se limita a consignar unos hechos con la pretensión de que sirvan de lección en ocasiones posteriores.

Pero su imparcialidad se acentúa si cabe cuando los asuntos tratados implican una participación directa del rey; su respeto por la realeza le lleva a justificar la conducta del soberano en todas sus acciones, aunque ello no le impide consignar incluso aquellos hechos que pueden llegar a poner en duda su buen gobierno: por ejemplo, la quiebra de las arcas del reino a la muerte de Carlos II.

Quedan finalmente en la narración de este reinado algunas imprecisiones sin importancia que, no obstante, queremos señalar. La primera corresponde a la entrada del infante Juan de Castilla en tierras navarras que el cronista sitúa en el mes de mayo cuando en realidad no tuvo lugar hasta el mes siguiente, durante la campaña algo más de un mes que señala la crónica, puesto que el infante castellano no se retiró hasta noviembre ante la inminente llegada del inglés Tomas Trevet que venía en ayuda del rey de Navarra. La segunda, muestra cierta inseguridad en el cronista al citar el procesamiento por traición del señor de Asiain en 1380, cuando él mismo añade que su ejecución tuvo lugar en enero de 1380; resulta imposible que todos los acontecimientos que detalla se precipitaran en tan escaso margen de días. Su error consiste en que hay que llevar el principio del procesamiento al mes de julio de 1379.

Pero al margen de todas estas confusiones en la cronología que hemos señalado, lo cierto es que Garci López demuestra a lo largo de todo el reinado de Carlos II un conocimiento exacto de todos los acontecimientos que relata y que fija en su crónica con una objetividad e imparcialidad que constituyen su mejor garantía de autenticidad. Sus deslices no empañan en nada el valor histórico de la obra y son imputables generalmente a descuidos u olvidos provenientes de la información oral que recibía. Por lo demás, todos los personajes que aparecen están sobradamente reconocidos en la documentación coetánea. La obra del tesorero aumenta aquí su valor al darnos nuevos detalles sobre estos personajes que, encajando perfectamente con los datos documentados, esclarecen el conocimiento de los hechos.

Finalmente queda por señalar que la puntualidad demostrada en este reinado se corrobora y amplía en las noticias referentes a Carlos III, como ya era lógico suponer en acontecimientos tan cercanos a la fecha de redacción de la crónica.

En conjunto, una vez revisados todos estos pequeños defectos, errores y omisiones que se contienen en el texto, y que hay que relegar a la poca importancia que en realidad tienen, queremos destacar aquellos valores que nos parecen de mayor importancia dentro de la crónica. Respecto a la primera parte de las dos en que hemos dividido el texto, hay que subrayar que, si bien se reduce a una compilación de otros escritos antiguos —con la inclusión de errores y leyendas que difícilmente podía subsanar un escritor de aquella época— también contó con algunos escritos de enorme interés, como los utilizados para historiar los reinados de los Teobaldo y de Enrique I, los cuales le permitieron darnos una visión concisa pero exacta de las relaciones entre el rey y la Iglesia. Reside el principal valor de esta primera parte en todos estos fragmentos que nos transmite de fuentes hoy desaparecidas y que en parte quedan corroborados por la documentación coetánea. Sólo cabe lamentar que su brevedad no le permitiera sacar a la luz otros escritos que eliminó para no hacer exhaustiva su narración y que no han llegado por ningún otro conducto hasta nosotros ni se han conservado, perdiendo así una preciosa fuente de información.

La segunda parte constituye el núcleo de la crónica y es donde reside su gran valor como testimonio histórico. La preciosa información oral que le fue facilitada al cronista por Miguel des Mares, junto con la documentación consultada en los archivos y su propio conocimiento personal de algunos asuntos, permitió al autor componer esta parte de su obra mediante una selección de abundantes materiales, centrándola especialmente en el reino propiamente dicho y en sus posesiones francesas. Las cuestiones de Francia y Castilla sólo son aludidas en cuanto tienen relación con Navarra, pero sin extenderse en los problemas internos de estos reinos.

La historia que compuso Garci López es digna de crédito en toda su amplitud; avalada por la imparcialidad y honestidad que el autor demuestra en todo aquello que puede ser comprobado documentalmente. Sus aportaciones pueden ser aceptadas con plena garantía de autenticidad y su crónica de los dos últimos reinados puede considerarse como un testimonio de incalculable valor para el conocimiento de la época.

Finalmente hay que destacar la importancia de esta crónica como iniciadora de la historiografía propiamente navarra. Es la primera historia específica del reino de Navarra y aislada de las compilaciones generales de España.

10. NORMAS SEGUIDAS EN LA EDICION

Hemos tomado como base el manuscrito A que es el más completo y el más antiguo de los cinco conservados. Es asimismo el que mejor ha transmitido el texto de la crónica. Se mantienen las grafías tal y como aparecen en el manuscrito base y únicamente en el caso en que la lectura era errónea en todos los manuscritos y daba origen a confusión, nos hemos permitido poner la palabra correcta entre corchetes, dejando constancia de las distintas lecturas que presentan las copias en el aparato crítico. Hemos dado una puntuación ortográfica correcta al texto para su mejor comprensión.

A fin de dar mayor claridad a la obra la hemos dividido en parágrafos y hemos añadido entre corchetes el nombre de cada rey al comienzo de su reinado.

A pie de página se recogen las variantes de los restantes manuscritos que remiten al parágrafo y al número exponencial correspondiente. Hemos omitido las variantes de B_1 por ser copia directa y coetánea de B.

La edición se acompaña de notas, también a pie de página, donde se detallan todas las fuentes localizadas y algunas observaciones históricas que completan la información dada por el cronista. Todas ellas remiten igualmente al parágrafo y a las cifras entre paréntesis intercaladas en el texto.

TEXTO

[1]. Stillo et ordenanca fueron et son, que todo thesorero [1]
de Navarra aya de poner al empieco de su primero compto copia
de la carta de la iura que el rey fizo de guardar los fueros, husos
et buenas costumbres, en su elevación et coronamiento en Sancta
María de Pamplona, a los prelados [2], richombres, nobles et buenas villas, por et en nombre de todo el pueblo de Navarra.

[2]. Et assi sia [1], que el escribano deste libro, empues que
obo fecha su scriptura, seyendo occioso, se acordó haber leydo en
los Proverbios: Occium introducit stultitiam [2]; proverbiorum
XIIº: «Qui sectatur occium stultissimus est» (1); item: Occium
generat egestatem; ibidem XXVIIIº capitulo: «Qui sequitur occium replebitur egestate» (2); item Ecclesiastici XXXIIIº [3]: «Mul-
tam malitiam docuit occiositas» (3); Innocencius IIIº: «Occiositas et voluptas arma sunt antiqui [4] hostis ad miseras animas capti-
vandas» (4) etc. muchas otras auctoritates son de occio que
serían luengas; et por evitar al peligro de occiosidad, ha consi-
derado que costumbre fue antiguament que los qui fazian libros
et scripturas ponian prólogos, fiziendo memoria de Dios, al
empieço de sus escripturas; examplo de los prólogos de Sant
Iheronimo. Los notarios appostólicos qui fueron et son, pusieron
et ponen en sus instrumentos prólogo; los unos: «In nomine
Patris et Filii et Spiritus Sancti», otros: «Sancti Spiritus adsit [5]

---

[1]. 1 thesoro, BCD.—2 perlados, A.
[2]. 1 et asi si aquel, BCD.—2 stultissimun, C.—3 treinta y quatro, BCD.—4 an-
tiani, A.—5 assit, A.

[2]. 1. Cfr. Proverbio 12, vers. 11: «Qui autem sectatur otium stultissimus
    est».
  2. Cfr. Proverbio 28, vers. 19: «Qui autem sectatur otium replebitur
    egestate».
  3. Cfr. Eccles. 33. vers. 29.
  4. Fuente no identificada.

nobis gratia». Et los hombres legos mercaderos ponen otro prólogo mas breu en que todo es compreso: «Ihesus».

[3]. Por esto aquí, ante de la carta de la iura del rey, el dicho escribano ha ymaginado fazer prólogo breu, como los mercaderos, del nombre de Ihesus, comandandose[1] a eil diziendo la oración de la Sancta Eglessia: «Actiones nostras quaesumus Domine aspirando preveni et adiuvando prosequere, ut cuncta[2] nostra oratio et operatio a te semper incipiat et per te cepta finiatur» (1).

[4]. Et dicha la oración, el dicho scribano faze narración breve, lo mas que puede, por no dar enuyo a los que aqui[1] leyeren, de las ystorias, empecando a Ihesu Christo, a loor de su Sanctissimo nombre, el qual nombre recevió por fee cathólica, la loable et noble ciudad de Pamplona, cabeça de Navarra, do los reyes son coronados et untados por el Obispo; esso mismo de la perdición et dolorosa fortuna de las Spaynas por los moros infielles; assi bien de la recuperación que fizieron los christianos, et quales et quantos han seydo reyes en Navarra empués la dicha recuperación et segunt la capítula del Fuero General de Spayna que sera escripta en adelant al empieço de los reyes, fueron et son tenidos iurar de observar et guardar los fueros.

[5]. Primo, abreviando de las ystorias lo mas que podrá, el scribano, por non dar enuyo a los que leyeren, dize et empieca su prólogo que Ihesus nuestro Salvador[1] nació de la Virgen Sanctissima Maria en Bethleem, testiguant[2] el Evangelio, era[3] XXXVIII° Cesaris et de la creación del mundo III^m IX^c LXIIII° annos que habia pax[4] [en] todo el mundo; el qual numero desta

---

[3]. [1] acomodandose, BCD.—[2] cunta, A.
[4]. [1] aqui] om. D.
[5]. [1] Señor, BCD.—[2] testigo, BCD.—[3] era] om. CD.—[4] pax] poco, BCD.—[5] el qual numero... ante del compto] om. CD; el qual número desta es 38 aynos ante del Compto, B.—[6] Ihesu] om. BCD.—[7] acercaron] lag. BCD.—[8] fue discípulo de San Juan Baptista, BCD.

[3]. 1. La conocida oración litúrgica.
[5]. 1. Todas las noticias referentes al santo las toma el cronista literalmente de las *Actas de San Saturnino*. Se conserva un manuscrito de ellas en el archivo de la iglesia de San Saturnino, en Pamplona, de principios del sigo XV, en pergamino. Véase J. ALBIZU, *Catálogo General del Archivo parroquial de S. Saturnino de Pamplona*, «Bol. Com. Mon. Nav.», 16 (1925).

era es treinta y ocho annos, ante del compto [5] de la Incarnación de Ihesu [6] Christo; et VI meses ante de Nuestro Sennor fue nacido Sanct Ihoan Baptista precursor et, como se acercaron [7] de su tiempo treinta annos, él fue en el desierto sobre el rio del fluvio del Jordan predicando: «Penitentiam agite» et batizando las gentes como el Evangelio contiene, et la fama dél fue divulgada por muchas tierras, et muchos vinieron a oyr su predicación; de los quoales Sant Saturnin (1), noble fijo del rey d'Achaya, Egeas, en las partidas de Grecia, et de la reyna su madre Cassandra, fija de Tholomeo rey de Ninive, fue uno, et dexo padre et madre et possessiones terrenas, et de Sanct Iohan Baptista fue discípulo [8].

[6].   Item en aquel tiempo, Ihesus nuestro Salvador veno a [1] San Iohan a tomar baptismo, et como San Iohan demostrase al [2] dedo a sus discípulos de Ihesu [3] Christo diciendo: «Ecce agnus Dei, ecce qui tollit pecata mundi» etc. [4], Sant Saturnín dexo a San Iohan et seguió a Ihesu Christo et fue su primer discípulo ata la Passión; et empués fue discípulo de Sant Pedro como ad aquel que Ihesu Christo había dado el poder; et assi contiene la legenda de Sant Saturnín abreviada en el Speculo de la vida de los Sanctos, que compuso maestre Bernart Guidonis predicador, obispo de Lodena en la tierra de Lenguadoc, et su obra fue comprobada por el papa Iohan [5] XXIIº (1).

[7].   Item empues l'Ascensión de nuestro Sennor, los apóstoles se partieron por diversas tierras a predicar. Et San Pedro se fue en Anthiochía do el regío el setio papal VII annos, et con [1] el levó a Sant Saturnín. Et dallí lo embió a predicar en Pentapolín [2], Lidiam, Ierapolin, in regione medorum et persarum, do [3] él fizo mucho fruyto et convertió grandes pueblos, et la ystoria assí lo contiene (1).

[8].   Item, en el anno XIIIIº empues de la passión de Ihesu Christo, San Pedro se partió d'Anthiochía et se fue a Roma do regnaba el emperador Nero el thirano yniquo, et con San Pedro fueron: Sant Pol, Sant Saturnín, Sant March, Sant Marçal et otros muchos discípulos qui, por abreviar, non son nombrados

---

[6].   1 a] om. A.—2 al] el, BCD.—3 Ihesu] om. BCD.—4 etc.] om. BCD.—5 Ihan, BCD.

[7].   1 con] om. CD.—2 Panthapolin, A.—3 do] o, BCD.

[6]. 1.   Cfr. Actas de San Saturnino, fol. 1v.
[7]. 1.   Cfr. Actas de San Saturnino, fol. 3r.

aquí, ny como Nero fizo matar a Sant Pedro et a San Pol[1]. Et como[2] San Pedro fue a Roma, el destinó et ordenó a los discipulos yr a predicar en diversas regiones, et a Sant Saturnín ordeno en obispo et lo[3] imbió en las partidas de las Spannas et, dexando lo que él fizo en camino ata que fue a Tholosa, do heran ydolatres, allí empeçó a predicar, et [a] su capellán nombrado Honesto, qui era de Arle lo Blanch, envió en Pamplona et a los tres senatores et regidores nombrados, el primero Firmus, padre de Sant Fermín, el otro Fortunatus et[4] el otro Faustinus, empeçó predicar el nombre de Ihesu Christo et que hera discípulo del obispo de Tholosa, Saturnín, qui había seydo discípulo de Ihesu Christo; estonz le dixieron: «Torna a tu maestro et feslo venir aqui a Pamplona, el qual nos dirá mas propiament los fechos de Ihesu Christo»; et assí se tornó Honesto a Tholosa; et al XVI°[5] dia fueron tornados a Pamplona Sant Saturnín et Honesto su capellán, et de los senatores bien recevidos; et a la primera predicación fueron convertidos, como dize la ystoria, XL[m] hombres. Esto fue a XXII annos empues la Pasión. Et Firmus, primer de los senatores, dio a Honesto su fijo Sant Fermin por doctrinar en la doctrina del Evangelio. Et Sant Saturnín passó ultra en Spanna et convertió a Tholedo, et dallí en las partidas de Galizia convertió muchas gentes; todo lo de suso es en la dicha legenda de Sant Saturnín (1).

[9]. Es verdad que Sant Jayme el mayor, hermano de San Iohan Evangelista, veno primero en la Galizia et, como dize su ystoria, non convertió que IX hombres, de los quales a su tornada en Iherusalem levó con si dos: et assí de las predicaciones de Sant Jayme et Sant Saturnín, la fe cathólica fue en las Spannas, et fueron christianos del dicho tiempo de la conversión ata la grant dolor de la destrución et perdición que fizieron los moros de Ultramar que y fizo venir el conte don Jullián, sobrino del rey don Rodrigo, por la trayción que él fizo a su sobrino de iazer[1] con su mujer, como desto largament iaze en las ystorias de Spanna et eno faze mencion el fuero. Et esto fue era[2] de Cesar VII° II° annos (1).

---

[8]. [1]San Saturnin, San March] add. BCD.—[2] con, D.—[3] lo] om. D.—[4] et] om. D.—[5] 18, BCD.

[9]. [1] fazer, BCD.—[2] fue era] fuera, BCD.

[8]. 1. Cfr. *Actas de San Saturnino*, fols. 3r al 5r.

[9]. 1. Cfr. Prólogo del *Fuero General de Navarra*, edición de P. ILARREGUI, Pamplona, 1964, pág. 1.

[10]. Et assí del tiempo de la conversión de Pamplona et las Spannas ata la perdición duraron christianos VI⁰ X annos; et los christianos que podieron salvarse [1], se salvaron en las montañas de Portogal, Galicia, las Asturias, Navarra, Roncal, Iaqua et las sierras de Aragón [2]; et fue Pamplona et muchas otras ciudades estruydas et derrocadas, como largament iaze en las ystorias del rey don Carlos Maynor (1) et en el Vicent Ystorial (2), en las quales se contiene que los moros occuparon las tierras por spacio de IIII⁰ annos en algunas partidas et otras mucho menos; assí como los christianos podían conquerir sobre moros, salvo de Granada que encara tienen moros; et por abreviar, el scrivano viene al tiempo que el burgo de Sant Saturnín de Pamplona, qui ante la perdición habia seydo villa, fue repoblada por gentes de Cahors [3] en la sennoría del duqado de Guyena [4], segunt el dicho comun; toda vez que ellos fuesen de Cahors non lo contiene el privilegio que hobieron de poblar et de la franqueza que hobieron del rey don Alfonso, estonz rey de Aragón et de Pamplona; el cual privilegio fue dado en Artafaila, era de mil C LX VII (3). Et este rey conquerió ante con ayuda del conte du Perche [5] francés et otros, a Tudela, era M C L II; et esta ciudad de Tudela fue assí como la çaguera conquerida en las Spannas sobre moros en el regno de Navarra (4).

[11]. Item aquí es por memoria de la conquista de algunas ciudades sobre moros: primo [1] Valencia fue conquistada de la

---

[10]. [1] salvar, BCD.—[2] Derangon, D.—[3] Chaors, BCD.—[4] Guienna, BCD.—[5] dei Perche, BCD.

[10]. 1. Quizá se refiera a la *Crónica de Turpin*, aunque no la utiliza en su obra.

   2. Cfr. *Speculum Historiale* de Vicente de Beauvais: consiste en una compilación por parte del autor de gran cantidad de textos antiguos.

   3. Cfr. documento publicado por MUÑOZ Y ROMERO, *Colección de Fueros municipales y Cartas Pueblas*, Madrid, 1847, págs. 487-479. Sobre la supuesta procedencia de estos pobladores de la ciudad de Cahors, véase: LACARRA, *La colonisation franca en Navarra et Aragon* (Annales du Midi, t. LXV, 1953, pág. 338); también LACARRA y MARTÍN DUQUE, *Fueros de Navarra. I, 2, Pamplona* (Pamplona, 1975), págs. 22 y 117 sig.

   4. La conquista de esta ciudad tuvo lugar en 1119. (LACARRA, *La fecha de la conquista de Tudela*, en «Príncipe de Viana», 1946, págs. 45-54). Acerca de la intervención del conde Rotron du Perche, véase del mismo autor *Los franceses en la reconquista y repoblación del Valle del Ebro en tiempo de Alfonso el Batallador*, en «Cuadernos de Historia, Anexos a la revista Hispania», t. II, págs. 68-69.

nuestra presa sub era milésima CXXII[a 2]; item Toledo fue preso sub era milésima C XXIII[a 3]; item Huesca fue presa sub era milésima C XXXIIII[a 4]; item Tudela fue presa sub era milésima C LII[a]; item Caragoca fue presa sub era milésima C LVI°; item Córdoba fue presa sub era milésima C LXXXII[a] (1).

[12]. Item el dicho scrivano en adelant non quiere por abreviar poner sino de los reyes de Navarra, empués la recuperación fecha sobre moros; como son descendidos uno empués otro, et algunas cosas breves dellos, por que en otros logares iazen largament escriptas. Et de lo que se seguirá[1], dexando las otras ystorias de los reyes et de las maraveillas de Spanna, es sacado a grant estudio de las croniquas que son en Sancta María de Pamplona, que compilló el reverent padre don Rodrigo, archiepiscopo[2] de Toledo (1), en tanto quanto dura su tiempo, et despues por la Croniqua Romanorum Pontificum (2) que es en Sancta María de Pamplona, assí bien de otras croniquas particulares que han emprestado al dicho scribano, como en la fin fará mención, tomando et concordando unas cronicas a otras lo más verdaderament et a deliberación que se ha podido fazer.

[13]. Nota que aqui ante de los reyes es puesta la cláusula del fuero.

Et primeramente fue establido[1] por fuero en Spanna de rey alçar para siempre porque ningun rey jamás qui sería non les podies[2] ser malo pues concello co es pueblo le alcaban rey et li daban lo que ellos habían et ganaban de los moros; primero[3]

---

[11]. [1] primero, BCD.—[2] milesima XXII.[a], A.—[3] milesima XXIII.[a], A.—[4] milesima XXXIIII.°, A.

[12]. [1] siguira, A.—[2] archiepo, CD.

[13]. [1] establecido, CD.—[2] lis podeis, CD; lis podies, B.—[3] primerament, BCD.—[4] direyto, BCD.

[11]. 1. Cfr. *Coronicas Navarras* contenidas al final del Fuero General de Navarra, edición de UBIETO, Valencia, 1964, pág. 41. La fecha de la conquista de Valencia no coincide con la que presenta esta edición; puede atribuirse a un error de los copistas que copiaron M C XII donde leyeron M C XXXII. Respecto a la fecha de la conquista de Córdoba, los manuscritos del Fuero General difieren en sus lecturas, coincidiendo la que presenta el cronista con el manuscrito de la edición de ILARREGUI.

[12]. 1. La obra de XIMÉNEZ DE RADA, *De rebus Hispaniae* llega hasta 1243.

2. *Historia Ecclesiastica a Nativitate Christi usque ad annum circiter MCCCXII*, de PTOLOMEO DE FIADONIBUS O LUCENSIS. (MURATORI, Scrip. rer. Ital., XI, págs. 753-1.216).

[13]. 1. Cfr. *Fuero General de Navarra*, edición de ILARREGUI, Lib. I, t. I, cap. I.

que lis iurás ante que lo alcasen, sobre la Cruz et los Evangelios, que los tovies a dreyto[4] et lis meyloras siempre lures fueros, et non lis apeoras et que lis desfizies las fuercas (1).

[Iñigo Arista].

[14]. Primeramente diremos de don Enequo Ariesta, al qual se empieça el linage de los reyes de Navarra empués una partida de las conquistas sobre moros de algunas de las tierras, car non fueron estonz ni heran todas conqueridas como de Tudela et otros lugares. Et este don Eneco los navarros, qui heran en las sierras por los infieles moros, lo levantaron por rey veyendo la grant valentía que en él hera en armas et todas[1] otras bondades.

[15]. Don Enequo Ariesta, rey de Navarra, fue muyt bueno en armas et amó los fijosdalgo; descendió de las sierras et fizo grandes conquistas sobre moros en las planas de Pamplona et otras partes de Navarra, segunt largamente las croniquas contienen (1); et como en las cronicas es contenido, su padre fue de Abarcuca e Biguria nombrado don Ariesta (2); et[1] la crónica del dicho arcobispo de Toledo pone otrament et que fue dicho don Eneco Ariesta por quanto era aspro de las batallas (3), et dél non se falla scripto el tiempo que fue levantado rey, qui sería propio, ni quanto tiempo regnó. Dice la ystoria que fue buen rey et valient, amado de sus vasallos et pueblo (4).

[García Iñiguez].

[16]. Item el ovo fijo don García Yniguiz qui regno empues él, el qual moros mataron, segunt la Cróniqua de don Rodrigo, en Larumbe (1) et otras crónicas que fue en Lecumberri (2).

---

[14]. [1] todas las] *add.* BCD.
[15]. [1] en, BCD.

[15]. 1. Cfr. XIMÉNEZ DE RADA, *De rebus Hispaniae*, Lib. V, cap. XXI.
    2. Cfr. *Libro de las Generaciones*, edición de FERRANDIS MARTÍNEZ, Valencia, 1968, pág. 58. Es ésta la única mención dentro de la historiografía anterior que señala su lugar de procedencia.
    3. Cfr. XIMÉNEZ DE RADA, *De rebus Hispaniae*, Lib. V, cap. XXI.
    4. Cfr. *Crónica de García de Eugui*, ed. EYZAGUIRRE, pág. 286.
[16]. 1. Cfr. XIMÉNEZ DE RADA, *De rebus Hispaniae*, Lib. V, cap. XXII.
    2. Cfr. *Libro de las Generaciones*, pág. 54, y LIBER REGUM (ed. Cooper, Zaragoza, 1960, fol. 16, 3): dice que fue la reina Urraca, mujer de García Iñiguez, la que murió en Lecumberri.

[*Sancho García*].

[17]. Este había por muger la reyna donna Hurraqua, la qual moros plagaron de una lançada por el vientre, estando ella casi al tiempo de parir, et sacaron la criatura por misterio de las mugeres por la plaga de la lancada; morió la madre et el fijo finquo vivo por miraglo de Dios, qui fue clamado don Sancho Garcia et otrament fue clamado don Sancho Abarqua porque andaba con çapatos de cuero pelludo, que son dichos abarquas, con los hombres a pie; et fizo grandes conquistas: conquerió el reyno de Aragón et otras tierras. Regnó este rey don Sancho Abarqua XXV° annos et morió en la era de DIIII°ˢ XL III (1), do iaze non lo dize la croniqua, como es en las otras crónicas contenido.

[*García Sánche II*].

[18]. Item a este succedió su fijo don García, dicho el Tembloso[1], qui fue bueno et piadoso et largo a sus naturales, et como su[2] padre fue clamado Abarqua. Regnó XXV° annos et morió era DIIII°ˢ LX VIII° annos (1). Non dize la cróniqua do iaze.

[*Sancho el Mayor*].

[19]. Item a este succedió su fijo el rey don Sancho nombrado el Mayor, porque regnó, segunt la Cróniqua del dicho Arcobispo de Toledo, en Navarra, Castiella et Aragón. Este fue casado con donna Mayora, otrament Geloyra[1], reyna de Castilla, de la cual ovo dos fijos: don García dicho de Nagera et don Ferrando; et ovo otro fijo mayor de dias de otra muger de Castro Ayvaro, dizen algunos que fue de ganancia, clamado don Remiro. Regnó este rey[2] don Sancho el Mayor XXXV° annos en grant bondat, et muchas conquistas hobo sobre moros (1); et morió era

---

[18]. ¹ trembloso, A.—² el, BCD.
[19]. ¹ Seloira, BCD.—² seus, SD.—³ 1003 aynnos, BCD.—⁴ Oynna, A.—⁵ a] *om*. BCD.

[17]. 1. Cfr. Ximénez de Rada, Lib. V, cap. XXII. El cronista, siguiendo fielmente al Arzobispo, ha omitido aquí varios reinados. Sobre estos primeros reyes y su cronología, véase *Los reyes pamploneses entre 905 y 970* de Ubieto, A. («Príncipe de Viana», 1963, págs. 77-82).
[18]. 1. Ximénez de Rada, *De rebus Hispaniae*, Lib. V, cap. XXIII.
[19]. 1. Ximénez de Rada, *De rebus Hispaniae*, Lib. V, cap. XXIIII, Lib. VI, cap. I y VI. Sobre la supuesta y legendaria división del reino por Sancho el Mayor, véase *Estudios acerca de la división del Reino por Sancho el Mayor de Navarra*, de A. Ubieto («Príncipe de Viana», 1960, págs. 5-56).

Mª IIIª [3] (2) et iaze en el monesterio de la Abadía de Oña [4] (3) cerca de Burgos, a [5] VIII° leguas.

[*García de Nájera*].

[20]. Item el dicho don García dicho de Nagera, succedió en el reyno de Navarra et lo mató su hermano don Ferrando en Actapuerca [1] (1), era millia L III° (2). Et regnó este rey don García por LI annos et iaze en Nagera, do estonz era el setio de los reyes (3).

[21]. Item el dicho don Fernando [1] subcedió a Castiella. Este es fuera de los reyes de Navarra (1).

[22]. Item don Remiro sucedió en el regno de Aragón, el qual regno li dio su madrastra, la dicha reyna donna Mayora, por quanto la excuso por campo de batalla de la acusación que li fizo el dicho don García su hijo, maguer el campo fizo cesar el rey; el cual regno de Aragón ella tenía de su marido el rey por donación a causa del matrimonio et arras, como pone el dicho Arcobispo; et el rey lis confirmó la donación. Et así no es aquí del número de los reyes de Navarra (1).

[*Sancho de Peñalen*].

[23]. El dicho don García de Nagera qui fue muerto en Actapuerca [1] por don Ferrando su hermano, avía dos fijos, los quales fueron nombrados ambos don Sancho; et ante que moriese, el padre ordenó su fijo mayor por su sucesor, qui fue rey empues él; al cual mató un su caballero en Peynalén (1), por

---

[20]. [1] Actapuerta, A.
[21]. [1] Ferrando, A
[23]. [1] Actapuerta, 3.

2. Cfr. *Crónica de García de Eugui*, ed. EYZAGUIRRE, pág. 290.
3. XIMÉNEZ DE RADA, *De rebus Hispaniae*, Lib. V, cap. III.
[20]. 1. Cfr. XIMÉNEZ DE RADA, *De rebus Hispaniae*, Lib. VI, cap. X. Sobre la batalla, véase HUIDOBRO, *La batalla de Atapuerca* («Príncipe de Viana», 1942, págs. 42-46).
2. Cfr. *Coronicas Navarras*, pág. 45. El cronista recoge la fecha con error, «era millia L IIII.°» en lugar de «anno Domini M L IIII.°».
3. XIMÉNEZ DE RADA, *De rebus Hispaniae*, Lib. VI, cap. X.
[21]. 1. Cfr. XIMÉNEZ DE RADA, *De rebus Hispaniae*, Lib. VI, cap. XI.
[22]. 1. Cfr. XIMÉNEZ DE RADA, *De rebus Hispaniae*, Lib. V, cap. XXVI.
[23]. 1. Cfr. XIMÉNEZ DE RADA, *De rebus Hispaniae*, Lib. V, cap. XXIIII. Sobre este rey y su descendencia, véase UBIETO, *Una leyenda del «Camino»; la muerte de Ramiro I de Aragón* («Príncipe de Viana», 1963, 5-27).

quanto fazía adulterio con su muger (2); non dize la croniqua qui fue el cavaillero. Peynalén agora se dize Villanueva, cabo Villafranqua (3). Otrosí non dize la croniqua el tiempo que regno este rey assí muerto de mala muert, ni do iaze.

[24]. Item el II° don Sancho, fijo del dicho don García fue muerto a trayción en Roda, en Aragón (1); non dize la Króniqua qui [1] lo mató. El qual don Sancho, segundo fijo del dicho [2] don García, dexó un fijo nombrado don Remiro; et este don Remiro [3] casó con la fija del Ruy Diaz el Campiador, qui conquistó primero a Valencia, et [4] ovo de la dicha su muger un fijo clamado García Remíriz [5], que regnó en Navarra empues la muert del dicho don Sancho su tio, qui fue muerto de su caballero en Peynalén, como dicho es (2). Deste rey la Króniqua, el tiempo que regnó [6] ni do iaze, non faze mención.

[25]. Et por quanto empués la muert del dicho don Sancho, los navarros andaron por cierto tiempo sin cabeza, es assaber, sin rey. fueron nombrados reyes de Aragón et de Pamplona tres reyes, segunt la cróniqua del Arcobispo de Toledo (1).

[*Sancho Ramírez*].

[26]. El primero don Sancho Remíriz, fijo qui fue de don Remiro, fijo de ganancia del rey don Sancho el Mayor, el qual don Remiro fue aquel qui salvó a la reyna [1], su madrastra donna Mayora, de la acusación que don García su fijo le había acusado,

---

[24]. [1] que, A.—[2] del dicho] *om.* BCD.—[3] don Remiro] *om.* BCD.—[4] et] *om.* BCD.—[5] Remírez, BCD.—[6] empues la muert... le tiempo que regno] *om.* BCD.

2. Cfr. GARCÍA DE EUGUI, que narra con detalle la leyenda del adulterio. La verdad acerca de las circunstancias de su muerte, en LACARRA, *Historia de Navarra*, t. I, pág. 271.

3. Existió este pueblo entre Funes, Marcilla y Villafranca (MADOZ, *Dicc. Geog.-Estad. Hco.*, t. 12, pág. 784).

[24]. 1. Cfr. XIMÉNEZ DE RADA, *De rebus Hispaniae*, Lib. V, cap. XXIIII. El resto de la historiografía señala como lugar de su muerte Rueda, que es el que corresponde a la realidad.

2. Cfr. XIMÉNEZ DE RADA, *De rebus Hispaniae*, Lib. V, cap. XXIII. Este Ramiro es el que casó hacia 1098 con la hija mayor del Cid, Cristina, y fue señor de Monzón, asentado por Alfonso I, entre 1104 y 1116 (LACARRA, *Historia de Navarra*, t. I, pág. 330 y DEL ARCO, *Dos infantes de Navarra, señores de Monzón*, en «Príncipe de Viana», 1949, págs. 249-274).

[25]. 1. Cfr. XIMÉNEZ DE RADA, *De rebus Hispaniae*, Lib. V, cap. XXIIII.

como de suso faze mención (1). Este don Sancho Remíriz, rey d'Aragón et de Pamplona, fue noble guerrero et buen rey amado de sus vasallos. Puso el setio sobre Huesca que tenían moros, do fue ferido de una sayeta [2] de la cual murió (2), anno Domini [3] M° XC II°, prima die nonas iunii (3), et iaze en Sanct Iohan de la Peyna; et a su fijo don Pedro fizo iurar, ante de la muert, de non partir del setio de sobre Huesca [4] (4).

[*Pedro I*].

[27]. Item el II° rey d'Aragón et de Pamplona fue el dicho don Pedro qui en su elevación iuro los fueros (1) et conquerió la dicha ciudad de Huesca [1] in anno Domini M° XC VI° [2] et de la era milésima C XXX IIII° (2). Este fue noble vencedor de batallas et buen rey, et maguer que entro a este rey, después el primero rey don Enequo Ariesta, non se leye en scripto que los reyes hobiesen iurado los fueros; empero [3] es de tener et creer, que segunt la cláusula del Fuero General de suso scripto, todos los reyes iuraron, porque a esta intención los fueros fueron ante de los reyes establescidos. Este don Pedro morió anno Domini M° C° IIII° [4] (3) et regno XII annos; non dice la croniqua do iaze.

[*Alfonso I*].

[28]. Item el III° rey de Aragón et de Pamplona fue don Alfonso, su hermano (1), rey de grant esfuerço en batallas et conquerió Tudela por setio con la ayuda del conte du Perche del reyno de Francia, era milésima C LII (2). Este rey iuró en su

---

[26]. [1] su madre] *add.* CD.—[2] sayetada, BCD.—[3] Domini] de, BCD.—[4] Huesqua, A.

[27]. [1] Huesqua, A.—[2] 1086, D.—[3] espero, D.—[4] anno de 1004, BCD.

[26]. 1. Cfr. XIMÉNEZ DE RADA, *De rebus Hispaniae*, Lib. V, cap. XXVI. Hace referencia al parágrafo 22.
   2. Cfr. XIMÉNEZ DE RADA, *De rebus Hispaniae*, Lib. VI, cap. I.
   3. Fuente sin identificar. La fecha correcta sería MXCIV, pridie nonas iunii.
   4. Cfr. *Coronicas Navarras*, pág. 26 y 27.
[27]. 1. Cfr. *Coronicas Navarras*, pág. 45.
   2. Cfr. *Coronicas Navarras*, pág. 41.
   3. Cfr. *Coronicas Navarras*, pág. 45.
[28]. 1. Cfr. XIMÉNEZ DE RADA, *De rebus Hispaniae*, Lib. V, cap. XXIIII.
   2. Véase la nota 4 del parágrafo 10.

elevación los fueros (3). Item dió el privilegio de repoblar el burgo de Pamplona en el campo plano do estaba estonz una basilica de Sant Saturnín que era fecha de tiempo viejo, do él había primero predicado de iuso un arbol nombrado Terebintus; el qual privillegio fue dado en Artaffalla[1] ,era Mª Cª LXVII°[2] et maguer algunos scriptos dizen LXIª, no es assí (4). Este buen rey morió in anno Domini[3] M° C XXXIIII°, VII ydus septembris (5). Regno XXX annos et non dize la Crónica do iaze do morió.

[29]. Empués los quales dichos tres reyes d'Aragón et de Pamplona, de los quales los dos cagueros morieron sin criazón, los aragoneses imbiaron al monasterio de Sant Pontz[1] de Tomieras por don Remiro, monge del dicho monasterio et hermano de los dichos[2] reyes precedentes qui fueron de Aragón et de[3] Pamplona, et lo casaron; et ovo lignea qui subcedió en Aragón, como en sus ystorias es contenido; et muerta su muger, el tornó a su monasterio; et aquí fue la separación de[4] Aragón de Navarra (1).

[García Ramírez].

[30]. Los navarros embiaron a Monçón por don García Remíriz, fijo del infant don Remiro de Navarra et de la fija del sobredicho Roy[1] Diaz Campiador, qui moraba en Valencia que había conquerida primera vez, et lo alcaron por rey de Navarra (1); et iuró los fueros en su elevación. Después fue duro a las buenas villas et veniendo contra Pamplona, morió de mala muert a Lorqua, do[2] la peynna se li habrió yendo a caça, anno Dómini M° C° L, XI° kalendas[3] decembris; et maguer assí muerto, fue

---

[28]. [1] Artafaylla, BCD.—[2] era de 1177, BCD.—[3] anno de, BCD.
[29]. [1] Sant Pont, CD.—[2] dichos dos] add. A.—[3] de] om. BCD.—[4] de] BCD.
[30]. [1] rey, D.—[2] de, BCD.—[3] a once del mes de, BCD.

3. No consta en las *Coronicas Navarras*.
4. Cfr. nota 3 del parágrafo 10.
5. Cfr. *Coronicas Navarras*, pág. 45: VI idus. El manuscrito utilizado por ILARREGUI en su edición presenta la fecha correcta, que coincide con la Crónica: VII idus.
[29]. 1. Cfr. XIMÉNEZ DE RADA, *De rebus Hispaniae*, Lib. VI, cap. I.
[30]. 1. Cfr. XIMÉNEZ DE RADA, *De rebus Hispaniae*, Lib. V, cap. XXIII. Acerca de sus derechos al trono, como nieto de Sancho Garcés, hijo bastardo de García de Nájera, véase GERMÁN DE PAMPLONA, *Filiación y derechos al trono de Navarra de García Ramírez el Restaurador* («Príncipe de Viana», 1949, págs. 275 y ss.). Un resumen de todas las diversas opiniones sobre su ascendencia se halla en *La España del Cid*, de MENÉNDEZ PIDAL, Madrid, 1969, pág. 817.

traydo a Sancta María de Pamplona et honrradament soterrado
(2). Regnó XVI annos.

[*Sancho el Sabio*].

[31]. A este don Garcia Remiriz subcedió en el regno de Navarra su fijo el rey don Sancho, hombre de grant sabieza, buen
cathólico, hobedient a Sancta Yglesia et bien querido de todos
los de su reyno et de todos sus vezinos reyes et otros, et hobedient
a Sancta Yglesia; et ovo un fijo nombrado [1] don Sancho el Fuert
et tres fijas: la primera donna Belenguera, que [2] fue muger del
rey Ricart d'Anglaterra, la otra donna Costança, la tercera donna
Blanca, que fue casada en Francia con don Tibaut, conte de
Campayna (1); et fue coronado en Sancta María de Pamplona
et iuró los fueros (2) et mantuvo en su regno grant iusticia y
paz; et regnó por XLIIIº annos. Et finó sus dias como buen
cathólico en Pamplona, anno Domini Mº C XC IIIIº Vº kalendas iulli [3] (3) et iaze en Sancta María de Pamplona.

[*Sancho el Fuerte*].

[32]. A este don Sancho el Sabio sucedió su fijo don Sancho
el Fuert et fue assí que [1] al fijo de don Sancho, rey de Castilla,
muerto, et de donna Blanca de Navarra, hermana del dicho don
Sancho el Sabio, clamado el noble, don Alfonso, mientre hera pu-
pilo, su primo don Sancho el Fuert li corrió toda la tierra que
perdió don García de Nagera, que le tiró su hermano don Ferrando, rey de Castilla, al tiempo que habían guerra uno contra otro;
et conquerió de Ebro ata cerca de [2] Burgos con la ayuda del rey
de Leon, don Alfonso; el qual don Alfonso, noble rey de Castilla,
venido en su edad, recebió por guerra todas las tierras que li
habia tirado el dicho don Sancho de Navarra el Fuert su primo,
et más puso setio sobre Vitoria [3] que hera de Navarra. Et veyendo

---

[31]. [1] llamado, BCD.—[2] que] *om*. BCD.—[3] cinco de julio, BCD.
[32]. [1] que] *om*. BCD.—[2] del] *om*. BCD.—[3] Victoria, A.—[4] quas, BCD.—[5] Victoria, A.

2. Es muy correcta la información que da el cronista de este reinado; amplía y perfecciona las noticias que pudo conocer por *Coronicas Navarras*, pág. 45. La fecha de la muerte de este rey aparece
errada en los distintos manuscritos que se conservan del *Fuero* y
con variantes entre ellos. De todo ello se deduce que conoció otra
fuente no identificada.

[31]. 1. Cfr. XIMÉNEZ DE RADA, *De rebus Hispaniae*, Lib. V, cap. XXIIII.
2. Cfr. *Coronicas Navarras*, pág. 45.
3. Cfr. *Coronicas Navarras*, pág. 45.

el dicho don Sancho que non podía haber socorro de sus vezinos christianos, los quales se obligaron al dicho rey de Castilla, casi[4] desesperado pasó en tierras de moros por cuydar haber socorro por levantar el dicho setio, el cual non pudo haber, maguer dineros et otras joyas li hobiese dado el Miramomelín rey moro; en el qual tiempo los caballeros et otros de dentro de Vitoria fueron constrennidos de fambre que se hobieron a adiar por cierto tiempo et render si no fuesen socorridos por su sennor el rey; et por denunciar esto a él, fueron don García, obispo estonz de Pamplona, et un caballero de los de Vitoria; el qual rey don Sancho, veyendo que non los podría socorrer, dió liscencia a los de Vitoria de se render; et rendida Vitoria[5] por la manera sobredicha, las tierras d'Alava, Burunda y Puzquoa, con todas sus fortalezas, buenas villas et castillos se rendieron sin constreyta al dicho rey de Castilla (1).

[33]. Et depués que el dicho don Sancho tornó de tierras de moros, fueron treguas entre él et el rey de Castilla (1); et empués, a poco tiempo, fue en ayuda del dicho su primo, rey de Castilla, ensemble con el rey de Aragón, contra moros a la batalla de Húbeda[1], en Andalucía, que vencieron los christianos in anno Dómini Mº CCº XIIº, XVIIº de iullio (2); et segunt concordan las cróniquas, con la ayuda de Dios, fue muy glorioso vencedor el dicho don Sancho et, entre todos, de fortaleza loado.

[34]. Depués la batalla, veno a morar en el castillo de Tudela, do fue largament enfermo de malaudia[1] de cáncer en una pierna (1). No había criazon et fizo venir a don Jaimes, rey de Aragón, su parient, et lo fizo iurar por ser[2] rey (2); el qual, muerto

[33]. [1] Hubedac, BCD.
[34]. [1] mala vida, D.—[2] su, BCD.—[3] Campayna, BCD.—[4] Roncesvailles, BCD.

[32]. 1. Cfr. XIMÉNEZ DE RADA, *De rebus Hispaniae*, Lib. VII, cap. XXXII. Acerca de este viaje y sus consecuencias, véase HUICI MIRANDA, *Las grandes batallas de la Reconquista*, Madrid, 1956, págs. 220 y ss.

[33]. 1. Cfr. XIMÉNEZ DE RADA, *De rebus Hispaniae*, Lib. VII, cap. XXXII. Las treguas se firmaron hacia 1200 (LACARRA, *Historia de Navarra*, t. II, pág. 98).

2. Cfr. XIMÉNEZ DE RADA, *De rebus Hispaniae*, Lib. VIII, cap. XII. Sobre esta campaña, véase HUICI Y MIRANDA, *Las grandes batallas...*, págs. 219 y ss. y J. GONZÁLEZ, *El reino de Castilla en la época de Alfonso VIII*, Madrid, 1960, t. I, págs. 981 y ss.

[34]. 1. Fuente no identificada.

2. Cfr. MARICHALAR, *Colección diplomática de Sancho el Fuerte*, Pamplona, 1934, pág. 208. El prohijamiento tuvo lugar el 2 de febrero de 1231.

don Sancho, quietó a los navarros de su iura et ellos embiaron a don Tibaut conte de Campannia[3], fijo de donna Blanca de Navarra, hermana del dicho don Sancho. El qual don Sancho morió en el castiello de Tudela in anno Dómini M° CC° XXXIIII° et VII° die de abril, et iaze en Sancta María de Roncesvalles[4] (3). Regnó XL annos.

[Teobaldo I].

[35]. Muerto este rey don Sancho, los estados de Navarra, queriendo guardar su naturaleza et haber rey descendient en recta linea, imbiaron al dicho rey don Jaime[1] de Aragón que lis quitase la iura que habían fecha, et él, non cubdiciando de lo que non li pertenecia, los quitó[2] graciosament (1). Esto fecho, embiaron en Francia a don Tibaut, fijo de donna Blanca, hermana del dicho rey[3] don Sancho el Fuert, muger que fue de don Tibaut, comte de Champayna[4] et palazín de Bria, que viniese a tomar la sucessión del regno de Navarra; el qual, venido en Pamplona V.° día de mayo, anno Dómini M° CC° XXXIIII°, vigilia beati Iohanis ante portam latinam, et lo III° dia fue coronado (2) et iuró los fueros (3), como dize la Crónica. Assí son de la muert del dicho don Sancho, su thio, LIX° dias.

[36]. Este rey fizo el castiello de Tiebas, et hera muy[1] rico et duro et riguoroso (1); fue contra el Capitol et don Pero Ximénez de Gacolaz, obispo de Pamplona, et contra el Burgo qui era del Obispo (2); empero, en otras cosas, era valient rey, alegre, grant cantador et bien[2]; et fizo de Champannya[3] venir en Navarra la natura de las buenas maçanas et peras, car mucho amaba

---

[35]. [1] Jaymes, A.—[2] quieto, A.—[3] rey] *om*. BCD.—[4] Champagna, BCD.
[36]. [1] mucho, A; mui, CD.—[2] et bien] *om*. D.—[3] Champayna, BCD.—[4] interdicho, BCD.—[5] turo, *todos*.—[6] (Bur)go no] *lag*. A.—[7] obispo] *lag*. A.—[8] Navardaun, BCD.—[9] 8 días de julio, BCD.

3. Cfr. *Coronicas Navarras*, pág. 45.
[35]. 1. Fuente no identificada. Recogen también esta embajada posteriormente García de Eugui y la Crónica de Príncipe de Viana.
2. Fuente no identificada. El alzamiento y el juramento aparecen citados en un documento de 1238, pubicado por LACARRA, *El juramento de los Reyes de Navarra (1234-1324)*, apéndice I, pág. 71.
3. Cfr. *Coronicas Navarras*, pág. 46.
[36]. 1. Fuente no identificada.
2. Sobre los disturbios habidos entre el rey y la iglesia de Pamplona, véase GOÑI GAZTAMBIDE, *Los obispos de Pamplona del siglo XIII* («Príncipe de Viana», 1957, págs. 97 y ss.).

buenas fruytas (3). Por la qual discensión, el dicho obispo lo excomulgó et puso intredicho [4] en el regno, que [*duro*] [5] por tres annos que non se dezía el officio sino do el rey mandaba; et por esto el rey al dicho obispo fizo iuzgar et pregonar por traydor salvo que los del Burgo no [6] consentieron pregonar en el Burgo; et el dicho obispo [7] moraba en Aragón, en Navardún [8]; despues nobles hombres los concordaron, et el dicho rey don Tibaut fue a Roma por haber solución del Papa et fueron amigos (4). El qual don Tibaut morió en el palacio del Obispo (5) en Pamplona, anno Dómini M° CC° LIII°, VIII° ydus iulii [9], et iaze en noble sepultura en Sancta María de Pamplona (6). Non regnó que XIXe annos.

[*Teobaldo II*].

[37]. Item a este rey subcedió don Tibaut, su fijo, rey de Navarra, comte de Champannya et palazín de Bria, marido de donna Yssabel, fija del rey Sant Loys de Francia (1), et los fueros en su elevación a Pamplona iuró (2). Este rey fue mucho gracioso a todos et hobedient a la Yglesia, et traxo de Paris a Sancta

---

[37]. [1] Cartagena, ABCD.—[2] Scillia, DD.

3. Fuente no identificada.
4. Siguiendo la obra citada de Goñi Gaztambide se puede comprobar la veracidad de todas estas noticias: el enfrentamiento del rey con el obispo Pedro Jiménez de Gazólaz, la excomunión del rey, el establecimiento del entredicho en todo el reino por Inocencio IV a instancias del obispo, que duró alrededor de tres años; también la residencia de este último en Navardún, protegido por el rey de Aragón Jaime I. Sin embargo, el citado autor considera una leyenda la afirmación del cronista de la posterior concordia entre el rey y el obispo, gracias a la intervención de los nobles, así como el viaje de Teobaldo a la Santa Sede para obtener la absolución del Papa. La realidad es que Teobaldo I murió excomulgado por el Papa, el concilio provincial y el obispo de Pamplona, ignorándose si se reconcilió con la Iglesia (*Los Obispos del XIII*, «Príncipe de Viana», 1957, págs. 97 a 107).
5. Parece que el palacio del Obispo era ya entonces el lugar habitual de residencia de los reyes de Pamplona. También vivió en él posteriormente Carlos III (*Catálogo de Comptos*, t. XV, n.° 65). Es el palacio de S. Pedro en la Navarrería (Goñi, *Nuevos docs. sobre la Catedral de Pamplona*, «P. de V.», 1953, 323-4).
6. Cfr. *Coronicas Navarras*, pág. 46.
[37]. 1. La boda, con dispensa del Papa, se celebró en Melun, el 6 de abril de 1255 (Lacarra, *Hist. de Nav.*, t. II, *pág*. 174).
2. Cfr. *Coronicas Navarras*, pág. 46, Teobaldo juró los fueros el 27 de noviembre de 1253 (Lacarra, *El juramento*, pág. 31).

María de Pamplona el grant et fermoso reliquiario de plata con la sancta reliquia de la Espina et muchas otras reliquias que su suegro li había dadas (3); con el qual suegro, él fue sobre moros en el regno de Tunnez, sobre [*Cartago*] [1] (4), et allí enfermó, et tornandose en la ysla de Scicillia [2], morió en Trapana sin criazon, anno Dómini M° CC° LXX°, nonas decembris (5), que son V° dia de noviembre, et iaze en el logar de Privino (6). El qual regnó XVIIe annos et IIII° meses.

[*Enrique I*].

[38]. Item a este don Tibaut el II°, muerto sin criazón, subcedió don Enrrich su hermano, comte de Ronay en Francia, marido de la fija del comte d'Artes, don Robert, hermano del rey Sanct Loys de Francia (1). Este don Enrrich era guobernador de Navarra quando morió su hermano, et como sopo la muert del dicho don Tibaut, luego se fizo coronar (2). Non dize la Cróniqua el dia.

[39]. Item dize la Cróniqua que fue mal gracioso a todos et al obispo don Arnungot [1] (1), et que desfizo la unión que era en-

---

[39]. [1] Armuigot, BCD.—[2] vudrica, BCD.

3. Goñi Gaztambide, *Los obispos del XIII*, pág. 134, nos confirma esta noticia que procede del «Catalogus episcoporum ecclesiae Pampilonensis»: el rey donó la reliquia a la iglesia catedral dentro de un relicario de plata sobredorada. El obispo D. Pedro introdujo una fiesta litúrgica en honor de la preciosa reliquia que ya se celebraba en tiempo de Urbano IV (1261-1264).

4. El cronista confunde el punto de destino de la expedición, que desembarcó en Cartago, el 17 de julio de 1270. Sobre esta cruzada y la participación del rey de Navarra, véase Goñi Gaztambide, *Historia de la bula de la Cruzada en España*, Vitoria, 1958, pág. 216.

5. Cfr. *Coronicas Navarras*, pág. 46.

6. En Provins (Champaña).

[38]. 1. Es correcta la filiación de su mujer, que tenía por nombre Blanca (Lacarra, *Hist. de Nav.*, pág. 193).

2. No quedan actas de su alzamiento y coronación, pero sí las actas parciales del juramento prestado a los jurados y pueblo de Pamplona y a distintas villas de Navarra (Lacarra, *El Juramento*, págs. 38-39).

[39]. 1. Goñi Gaztambide atribuye las disensiones entre el rey y el obispo Armingot, a la promesa, no cumplida por aquél, de deshacer todos los contrafueros cometidos por sus antecesores contra a Iglesia, tanto en cuestiones de orden temporal como espiritual (*Los obispos del XIII*, pág. 143).

tre la Navarrería et el Burgo et Población (2). Un fijo habia chico qui cayo de los braços de su nodrica[2] de las menas del castiello de Estella, et iaze en los frayres menores de Estella (3). Finquó una fija de dos annos nombrada donna Iohana (4), la qual fizo jurar en Pamplona, et a VII semanas en seguient, él morió en el palacio del Obispo. Fue tanto pleno de gordura que apenas se fallase otro tal; dize la Cróniqua, que fue cuydar de las gentes que el se afogó de la gordura el dia de la Magdalena, anno Dómini M° CC° LXXIIII. Non fue rey IIII° annos et iaze en Sancta María de Pamplona (5).

[40]. Sobre lo que había de ser de la dicha donna Iohana, iurada a la subcessión del regno, que no había que dos annos, fue entre los del regno mucha grant contienda; los unos querían que fuese comandada et casada en Castiella, et otros en Francia; desta contienda el escrivano deste libro non quiere mas poner porque l[a] ystoria es luenga et largament scripta en otros libros en la Jurería de Pamplona (1) et otras partes; toda vez la dicha donna Iohanna, heredera de Navarra, fue acomendada[1] et embiada por su madre a su primo don Felip, dicho Porsiant, rey de Francia, fijo de Sant Loys, et la casó con su fijo primero nombrado Philip el Fermoso, el qual había IIII° annos y la duenna no había que dos annos. Et fizo este rey de Francia luengament regir Navarra

---

[40]. [1] acomendada] lag. A.—[2] d'Anglaterra, madre del rey Edoart] lag. A.— [3] maguer los dos cagueros, segunt fuero de Navarra] om. BCD.

2. Cfr. Poema de Anelier de Tolosa, Canto XV-XIX. Sancho el Fuerte había conseguido esta unión al prohibir a los de la Navarrería levantar fortificaciones contra el Burgo y Población. Posteriormente, en 26 de junio de 1266 se habían unido y fundido los concejos de los cuatro barrios de Pamplona. Enrique I la deshizo a instancias de los de la Navarrería que le ofrecieron 30.000 sueldos sanchetes y el soberano rompió el sello común de la ciudad (J. M. DOUSSINAGUE, La guerra de la Navarrería, «Príncipe de Viana», 1945, pág. 240).

3. Tenía por nombre Teobaldo y poco antes de su muerte ya se había concertado su matrimonio con Violante, hija del rey Alfonso X de Castilla (LACARRA, Hist. de Nav., tomo II, pág. 196).

4. La infanta Juana había nacido el 14 de enero de 1273. (LACARRA, Hist. de Nav., t. II, pág. 197).

5. Cfr. Coronicas Navarras, pág. 46, la fecha y e lugar de su muerte (22 julio).

[40]. 1. Fuente no identificada. Sobre todos estos problemas desencadenados a la muerte de Enrique I y las candidaturas aragonesas y castellana a la mano de la infanta Juana, véase LACARRA, Hist. de Nav., t. II, págs. 205-218 y DOUSSINAGUE, La guerra de la Navarrería, págs. 232 y ss.

por nobles varones de Francia. Del qual don Phelip el Fermoso et su muger, en su tiempo, fueron: donna Ysabel, la reyna d'Anglaterra, madre del rey Edoart[2], et tres fijos: el primero fue Loys dicho Hutin, item el II° Philip dicho el Luengo, item el III° fijo Karlos dicho Calvo. Estos tres fueron reyes de Francia et de Navarra, maguer los dos cagueros, segunt fuero de Navarra[3], non se debían clamar reyes de Navarra como adelant sera dicho con razón (2).

[Felipe el Hermoso].

[41]. Tornando a propósito, dexando luenga scriptura, este rey noble don Phelip el Fermoso, marido de la dicha donna Iohana de Navarra (1) fija del dicho don Enrrich, empués la muerte de su padre don Phelip dicho Poursiant, el qual morió en Perpiñan[1], que él fazía guerra en Cataluyna[2] contra el rey de Aragón, in anno Dómini M° CC° LXXX VI (2); et estonz subcedió rey de Francia et de Navarra su fijo el dicho don Phelip el Fermoso et regnó XXVIII° annos en Francia; et su muger donna Iohana de Navarra morió anno Dómini M° CCC° V° (3), por la muert de la qual quiso el dicho don Felip que su hijo primero Loys, dicho Hutin[3], regnase rey en[4] Navarra et comte de Champannya et Bría, et en el anno M° CCC° VII°, segunt la Cróniqua que fue de la reyna Blanca, fue coronado en Pamplona et iuró los fueros, non dize en qual dia[5] (4).

---

[41]. [1] Perpinnan, A.—[2] Cathaluña, BCD.—[3] Hurtin, BCD.—[4] de, D.—[5] dia] om. CD.

2. Fueron considerados como ilegítimos en cuanto los navarros restauraron en sus derechos a doña Juana, hija de Luis Hutin (LACARRA, *El juramento*, pág. 57).

[41]. 1. El matrimonio de Felipe el Hermoso con Juana de Navarra tuvo lugar el 16 de agosto de 1284 (LACARRA, *Hist. de Nav.*, t. II, pág. 244).

2. Felipe III el Atrevido moría exactamente el 5 nov. de 1285 al regreso de una poco gloriosa expedición que intentaba la conquista de Aragón. La campaña, concebida como una cruzada franco-pontificia había empezado en 1283 a consecuencia de la excomunión del conquistador de Sicilia, Pedro el Grande, por el papa Martín IV.

3. Cfr. Crónica de GARCÍA DE EUGUI, ed. Eyzaguirre, pág. 299. Murió el 4 de Abril.

4. No se ha conservado esta crónica, que creemos debió pertenecer a la reina Blanca, hija de Juana II y Felipe de Evreux, que casó en 1350 con Felipe IV de Valois. No se conoce la fecha exacta de la jura de Luis Hutín, aunque sabemos que fue coronado en octubre, en Pampona.

[*Luis el Hutin*].

[42]. Después, muerto su padre don Phelip en vigilia Sancti
Andree (1), anno Dómini Mº CCCº XIIIIº, este Loys regno en
Francia et Navarra, comte de Champayna, et morió en Francia
anno Dómini Mº CCCº XVIº, prima dies nonas iunii[1]. Regnó XI
annos, los nueve en Navarra solament, et en Francia et Navarra
XIXᵉ meses. Et dél fincó una fija sola nombrada donna Iohana,
la qual, segunt ley en el IIIIº libro de Moyses de los nombres a
XXVIIᵉ capítulos (2), debía heredar en los regnos de Francia a
causa de su aguelo don Phelip Fermoso et en Navarra a causa
de su aguela donna Iohana, muger del dicho don Phelip Fermoso[2]
et madre de su padre don Loys dicho Hutín.

[43]. Sobre este paso fue ordenado en Francia, a voluntad
de algunos, que muger no heredase en Francia, et el duc de Borgonna[1] al contrario, segunt la cróniqua francesa qui fue de la
reyna Blanca (1); por la cual ordenança esta donna Iohana, fija
uniqua del dicho rey Loys Hutín[2], fue privada de la subcesión
del regno de Francia por don Philip, comte de Valoys, como
adelant a la segunda partida es fecha mención, et más que li[3]
fue contra el Fuero de Navarra, en el qual reyno debía subceder.
Empués muert de su padre, sus[4] hermanos, Philip et Karlos el
Calvo, se clamaron uno empues otro rey[5], et de fecho tomaron
el reyno de Navarra qui pertenecía a la dicha donna Iohana, su
sobrina, fija del dicho rey Loys Hutín; et si dellos fuese fincado
criazón, ella había perdido su drecho en Navarra como había perdido en Francia de fecho. Dios y quiso proveyr que morieron los
dichos Philip el Luengo et Karlos sin criazón.

---

[42]. [1] regno en Fancia... nonas iunii] *om.* BCD.—[2] et en Navarra... don Phelip Fermoso] *om.* BCD.
[43]. [1] Borgoyna, BCD.—[2] Hurtin, BCD; sobre] *add.* CD.—[3] li] *om.* BCD.—[4] cuyos, BCD.—[5] uno empues otro rey] reyes, BCD.

[42]. 1. Corresponde al 29 de noviembre y es exacta.
2. El cuarto libro del Pentateuco, Los Números, en su cap. 27, trata
del derecho hereditario y dice textualmente: «Si uno muere sin dejar
hijos, hareis pasar su heredad a su hija». Juana era hija de su primera mujer, Margarita de Borgoña. Sobre el problema sucesorio
que se plantea a la muerte de su padre, véase, P. LEHUGEUR, *Histoire
de Philippe Le Long, roi de France (1316-1322)*, París, 1897, t. I,
págs. 28 y ss.
[43]. 1. Sobre el acuerdo entre Felipe el Largo y Eudes IV, duque de Borgoña, a quien había sido confiada la tutela de su sobrina Juana
(27 marzo 1318), véase, LACARRA, *Hist. de Nav.*, t. II, pág. 264.

[*Felipe el Largo*].

[44]. Tornemos a la subcesión: de fecho subcedió rey en[1] Francia et Navarra el dicho rey Phelip el Luengo, IIº fijo del dicho don[2] Felip Fermoso et de la dicha donna Iohana de Navarra, fija de don Enrrich; et morió en Francia, segunt que es escripto en Sancta María de Pamplona, anno Dómini Mº CCCº XXIIº. IIº dia de ienero[3] (1). Non se troba que iurase los fueros (2) ni quales cosas fueron fechas en su tiempo que sean scriptas en Navarra et deben ser scriptas en Francia. Regnó en Francia et Navarra VI annos.

[*Carlos el Calvo*].

[45]. Item a este don Phelip el Luengo subcedió el tercero fijo de don Phelip el Fermoso, don Carlos dicho Calvo, rey de Francia et de Navarra en la manera sobredicha. Non se falla que viniese iurar los fueros (1). Este dio a los de la Navarrería privilegio de repoblar, datis[1] en Paris, anno Dómini Mº CCCº XXIIIIº (2); la qual ante había seydo defecha por la discensión que fue estonz en grant dolor sobre la dicha donna Iohana de Navarra, fija de don Enrich, en el anno Dómini Mº CCº LXX VIº; assí fue sin repoblar la Navarrería XL VIIIº annos; et desta discensión el escribano deste libro non quiere mas poner por abreviar; et[2] en otros logares se[3] faze mención largament (3). Este don Carlos Calvo morió en Francia, anno Dómini Mº CCCº

---

[44]. [1] de, D.—[2] del dicho don] *om.* BCD.—[3] ieno, BCD.—9 en Francia. Regno] *om.* D.

[45]. [1] datis] dote, CD.—[2] et] *om.* BCD.—[3] se] sen, A.

[44]. 1. El día de su muerte presenta error: tuvo lugar el 3 de enero.

    2. Existe un acta de su juramento en París, el 30 de septiembre de 1319, ante una representación de las Cortes, aunque presenta errores difícilmente explicables (LACARRA, *El juramento*, pág. 55). En una carta anterior, el 24 de octubre de 1317, el rey prometía ir en cuanto le fuera posible a Navarra para realizar el ceremonial exclusivamente navarro de accesión al poder, y esto es lo que quedó sin realizar.

[45]. 1. No juró los fueros ni en Pamplona, ni en Francia (LACARRA, *El juramento*, pág. 56).

    2. Cfr. IRURITA, *El municipio de Pamplona en la Edad Media*, Pamplona, 1059, págs. 210-212, y LACARRA, *Notas para la formación de familias de fueros navarros*, en «A. H. D. E.», 10 (1933), pág. 215.

    3. Se refiere sin duda al *Poema* de Guillermo de Anelier, que el cronista conoció.

XXVIII°, prima die febroarii; iaze en Sanct Denís. Regnó VI annos como su hermano.

[46]. Incidencia puesta aquí por declaracón: Ante de venir a la subcesión del regno de Navarra, trobase por la Cróniqua Romana de los Papas (1) et la[1] Cróniqua francesa (2), que el rey don Phelip, dicho Poursiant, fijo de Sant Loys, hobo por fijo al rey Philip Fermoso et a don Carlos, comte de Valois, de su primera muger, et de otra mujer hobo Loys, comte d'Evreux, hermano del dicho don Phelip Fermoso, marido de la dicha donna Iohana de Navarra, fija de don Enrrich, en la cual obo tres fijos: Loys dicho Hutín[2], Philip el Luengo et Carlos Calvo, de los quales todos finados, non finquó que donna Ioanna, fija sola del dicho don Loys dicho Hutín. Et como a ella venía la subcesión del regno de Francia, don Philip, comte de Valois, fijo del dicho don Carlos, comte de Valois, thio de la dicha donna Iohana, se fizo coronar rey en Francia, et a la dicha donna Iohana dexaron solament el regno de Navarra. La qual donna Iohana casaron con el comte don Philip (3), fijo del dicho Loys comte d'Evreux[3], et hermano del dicho don Phelip de Valois, qui se fizo coronar en Francia.

[*Juana y Felipe de Evreux*].

[47]. Los quales don Phelip, conte d'Evreux, con su muger venieron et en Sancta Maria de Pamplona fueron ensemble coronados el domingo cinqueno dia de março, anno Dómini M° CCC° XXVIII°, et primerament iuraron los fueros (1). Fueron rey et reyna buenos et bien amados[1] de todos los de su regno. Este rey et reyna fueron privados del comtado[2] de Campayna et Bría por el rey de Francia, pero diéronlis otras tierras que non valían tanto[3] ni assi nobles (2). Depues este rey se fue en servicio de

---

[46]. [1] et la otra] *add.* BCD.—[2] Hurtin, BCD.—[3] de Vreux, ABCD.
[47]. [1] aiudados, BCD.—[2] contrato, BCD.—[3] valian tanto] valiant, CD.—[4] campayna, BCD.—[5] Algezira, A.—[6] Serez, A.

[46]. 1. *Historia Ecclesiástica a Nativitate Christi usque ad annum circiter* MCCCXII, de PTOLOMEO FIADONIBUS.
   2. Fuente no identificada; puede ser la crónica de la reina Blanca, de la que ya se ha hecho mención.
   3. El matrimonio, con dispensa pontificia, se celebró el 18 de junio de 1318 (*Hist. de Nav.*, t. II, pág. 264).
[47]. 1. El cronista presenta una fecha aparentemente errónea al omitir que sigue el cómputo de la Encarnación; la coronación tuvo lugar el 5 de marzo de 1329.

Dios contra moros en la compannya[4] del rey de Castilla, don Alfonso, sobre Algecira[5], do se enfermó et morió en Jerez[6] de la Frontera, anno Dómini M° CCC° XLIII°, VI° kalendas octobris (3), et fue traido en Sancta María de Pamplona et soterrado hondradamente cerqua el altar mayor, IIII° kalendas novembris en el dicho anno. Fizo amejoramiento en el fuero (4). Dios aya su anyma. Regnó XV° annos.

[48]. Destos rey et reyna por buena honestat, el scribano deste libro quiere fazer mención de la noble generación dellos, primo de los varones, maguer nascieron primeras algunas de las duennas. El primero fijo don Carlos, nacido en Evreux. Item el II° don Phelip, comte de Longavilla[1] (1). Item el III° don Loys duc de Duraz[2] (2). Item de las duennas donna María (3), muger

[48]. [1] Item el II.° don Phelip, comte de Longueville] *om.* BCD.—[2] Duranz, BCD.—[3] [Juana] abadesa es] *om.* BCD.

2. Cfr. LACARRA, *El juramento*, págs. 103-106. Acerca de su sucesión en el reino de Navarra y su renuncia a los condados de Champagne y Brie, obteniendo en compensación los ducados de Anguema, Mortain y Longueville, véase LEROY, B.: *A propos de la sucesión de 1328 en Navarra* («Annales du Midi», 1970, págs. 137-146) que señala erróneamente la fecha de la coronación el 15 de marzo.

3. Tras el fracasado intento de organizar una cruzada contra los moros de Granada junto con Eduardo III de Inglaterra, Felipe de Valoys, el rey de Bohemia y Alfonso IV de Aragón, en 1343 acudió en ayuda del rey de Castilla, Alfonso XI, a la campaña de Algeciras. No llegó a conocer el éxito de la expedición. A los 3 meses del sitio de Algeciras enfermó de fiebres y murió en Jerez de la Frontera, el 26 de septiembre. Sobre la fracasada cruzada contra el reino de Granada, véase MAHN-LOT, M., *Philippe d'Evreux, roi de Navarre et un projet de croisade contre le royaume de Grenade (1329-1331)*, («Bulletin Hispanique», 1944-45, págs. 227-233) y GOÑI GAZTAMBIDE, *Hist. de la Bula de la Cruzada*, 296-315.

4. El 10 de septiembre de 1330 se aprobó una reforma en el Fuero que corregía, aclaraba e introducía nuevas disposiciones. Se llevó a efecto en 1330, y para ello se nombró una comisión de 6 miembros designados por el rey, 4 propuestos por los prelados, 4 por los ricoshombres, 4 por los caballeros y varios por las buenas villas (LACARRA, *Hist. de Nav.*, t. III, pág. 31). Un nuevo amejoramiento del Fuero tuvo lugar en 1342.

[48]. 1. Pasó casi toda su vida en Francia como lugarteniente de su hermano Carlos en las tierras de Normandía. Murió el 29 de agosto de 1363.

2. Fue conde de Beaumont-le-Roger, lugarteniente del rey en su ausencia y desde 1366 duque de Durazzo por su matrimonio con Juana de Sicilia, duquesa de Durazzo, hija de Carlos de Sicilia, segundo duque de este estado y titulado señor del reino de Albania. Este enlace abría nuevos horizontes a su ambición y espíritu caballeres-

del rey Pedro de Aragón. Item donna Blanca (4), que depués fue muger del dicho rey de Francia don Philip de Valois. Item donna Agnes (5), casada con el conde Febus de Foix. [*Juana*] abbadesa es[3] (6). Item dona Iohana (7), casada en Bretayna con el vizcomte de Rohan; et todos son dignos de seer loados. Dios aya sus animas.

---

co, ya que los nuevos países y títulos, que su mujer le llevaba en dote, había que reconquistarlos. Anteriormente, había tomado parte activa en las luchas con Carlos V de Francia y Pedro IV de Aragón, llegando a ser prisionero de los aragoneses hacia 1364; ahora heredaba las pretensiones de los angevinos en Oriente, que serían la causa de su muerte. Al trasladarse a Nápoles llevó consigo 800 navarros y gascones que formaron la base de la Gran Compañía Navarra. Ha sido poco estudiada su campaña en Oriente y hasta la misma fecha de su muerte ha dado lugar a diversos pareceres. Sobre todo, véase RUBIO Y LLUCH, *Los navarros en Grecia y el ducado catalán de Atenas*, Barcelona, 1886. YANGUAS, *Dicc. Antig.*, I, pág. 96, fija la muerte de este infante a finales de 1376.

3. Tras el fracasado proyecto de matrimonio entre Pedro, primogénito de Alfonso IV de Aragón, y Juana, primogénita de los reyes de Navarra, Pedro IV de Aragón casó con María, segunda hija de Felipe de Evreux, el 25 de julio de 1338 en Alagón. Acerca de las condiciones del contrato matrimonial y el pago de la dote, véase, J. R. CASTRO, *El matrimonio de Pedro IV de Aragón y María de Navarra* «E. E. M. C. A.», III, págs. 55-156.

4. Después de estar prometida con el infante Pedro de Castilla, hijo de Alfonso XI, casó con Felipe VI de Valois (19 enero 1350) para quedar viuda siete meses después, LACARRA, *Historia de Navarra*, t. III, pág. 46. Siguió viviendo en París hasta su muerte, en 1398. CASTRO, *Carlos III el Noble*, Pamplona, 1967, pág. 247.

5. Casó con Gastón Febo, conde Foix y vizconde de Bearne, en París, el 4 de agosto de 1349, en la iglesia del Temple. Las capitulaciones matrimoniales se habían firmado el 4 de julio en Pontigny (*Catálogo*, II, 303 y 304). Su dote fue espléndida pero no se llegó a pagar totalmente y fue éste el motivo que alegó Gastón Febo para repudiar a su esposa en marzo de 1363. Acerca de los retrasos en el pago de la dote, véase TUCCO-CHALA; *Gaston Febus et la vicomté de Bearn, (1343-1391)*, Bordeaux, 1960, págs. 63-64 y 111, y LACARRA, *Hist. de Nav.*, t. III, pág. 47. Tras el repudio pasó a residir en Navarra hasta su muerte, en febrero de 1397. Su hermano Carlos II le concedió 400 florines de oro de renta anual para mantener su estado en septiembre de 1372, y poco más tarde, en 1376, le aumentó dicha renta a 600 florines de Aragón anuales (*Catálogo*, VIII, 840 y X, 439).

6. Hemos sobreentendido el nombre de Juana ya que es la única infanta que no se cita expresamente y de la que sabemos que entró religiosa en el monasterio de Longchamp, el 23 de abril de 1338, LACARRA, *Hist. de Nav.*, t. III, pág. 33, nota.

7. Su boda con Juan I, vizconde de Rohan, tuvo lugar en 1377, LACARRA, *Hist. de Nav.*, t. III, pág. 48.

[*Carlos II*].

[49]. Item a este rey don Phelipe d'Evreux[1] subcedió don
Carlos su fijo, en el XVII° anno de su hedat, et en Sancta María
de Pamplona iuro los fueros, el XXVII° dia de iunio, anno Dómini M° CCC° L°, en el qual dia fue coronado. El regnó por XXXVIIe
annos et morió en el palacio del Obispo en Pamplona, la primera
noche de ienero, anno Dómini M° CCC° LXXX VI°[2] (1), et había
de hedat LIIII° annos, IIII° meses et veynte dias; del qual su
cuerpo iaze en el coro de Sancta María de Pamplona, su coraçón en Sancta María de Uxué et sus entrannas[3] en Sancta
María de Roncesvalles con las entraynas de su muger la reyna
donna Iohana, fija primera del rey de Francia don Iohan, la
qual morió en Evreux otro día de los defunctos, anno Dómini
M° CCC° LXXIII°, et iaze su cuerpo en Sant Denís, su coraçón
en Sancta María de Pamplona et sus entrannas en Sancta María
de Roncesvalles.

[50]. Este rey fizo a la Yglesia de Sancta María de Pamplona muchos donos de joyas a servicio de Dios: dio[1] la grant Cruz
d'argent sobre su pie, de grant peso, esmaltada dello a flores de
lis; otros tableros et reliquiarios; et más, dio en el anno M° CCC°
LXXIX[2] una cruz d'oro guarnida de piedras et aljofras, de grant
valía, que tiene en la mano la ymagen de Sancta Maria; desta
cruz contesció grant fortuna: un joven de la nasción francesa,
qui era en la corte del rey, se escondió en la yglesia et, con tenta-
ción del diablo, furtó la dicha cruz de la ymagen a poco tiempo
que el rey la había dada; et luego el rey imbió de todas partes
gentes a buscar el ladrón sacrilegio et d'aventura fue fallado
ultra Sanguessa, yendo en Aragón, con la cruz qui fue tornada
a la ymagen, et el ladrón, porque era de corona, fue puesto en la
prisión del Obispo a Navardúm, do vivió ciertos annos ante de su
muert. Item este rey fundó en Sancta María dos capellanyas por
la reyna donna Iohana su muger (1), et dio a Sancta María IIII[xx]

---

[49]. [1] de Vreux don Philip, BCD.—[2] mil trescientos y [*lag*], BCD.—[3] et sus
entrannas... et sus entrannas] *om.* BCD.
[50]. [1] dio] de, BCD.—[2] mil trescientos y *lag.* BCD.—[3] et dio a Sancta Maria
IIIIXX libras] *om.* BCD.—[4] LXXX.° *lag.* A.—[5] Ollit, MDC.—[6] Item dio et truxo reliquias del señor Sant Fermin a la yglesia de Sant Lorenz] *add.* BCD.

[49]. 1. Sigue el cómputo de la Encarnación que corresponde a 1387. Acerca del embalsamamiento del rey y su sepelio, véase IDOATE, F.: *Rin-
cones de Hist. de Nav.*, Pamplona, 1954, págs. 14-16.
[50]. 1. En julio de 1374 funda dos capellanías y un aniversario para cumplir la última voluntad de su esposa difunta, otorgando para ello

libras de renta [3] sobre la peyta de Mendigorría, como parece por
letra del rey dada in anno Dómini Mº CCCº LXXXº [4] (2), et ordenó a refazer la tribunia do se leya el Evangelio et la Epistola
porque la otra era vieja et consumada, et que de iuso fuesen dos
altares, et morió el rey ante que fuesen fechas, et su fijo don
Carlos los mandó fazer et los guarnió de dos calizes d'argent,
libro misal et vestimentas, con dos arcas pintadas, et otros bienes
tenía de fazer que fincaron por la ocasión que el choro de la yglesia et grant partida cayó primero dia de julio al alba, anno Dómini Mº CCCº XCº (3). Et más, el dicho rey fundó en Sancta
María de Olit [5] una misa al alba, dio XXX libras sobre la Pre-
vostat [6] (4).

----

al cabildo la casa y hospicio de Ordoiz con todos sus bienes y pertenencias: se reserva, no obstante, la facultad de recuperarlos siempre que el rey ofreciera una recompensa adecuada (GOÑI GAZTAM-
BIDE, *Catálogo del Archivo de la Catedral de Pamplona, n.º1487*).

2. En noviembre de 1381 hace concesión al cabildo de 80 libras en
la pecha de Mendigorría en compensación por la casa de Ordoiz,
para el mantenimiento de dos capellanías y el aniversario ordena-
dos por su mujer en su último testamento, y para la fundación de
otro aniversario por su padre Felipe III de Evreux, cuyo cuerpo
yace en la Catedral de Pamplona y por quien todavía no se había
instituido ninguna memoria en dicha iglesia (GOÑI GAZTAMBIDE,
Catálogo del Arch. de la Catedral, n.º 1.544). Lo publica F. IDOATE,
Un formulario de la cancillería navarra del s. XV, en «A. H. D. E.»,
1956, págs. 548-550.

3. GOÑI GAZTAMBIDE (*Nuevos documentos sobre la catedral de Pamplona*, «Príncipe de Viana», 1955, pág. 146), señala que Carlos III
comenzó los preparativos para la construcción de una capilla en el
coro de la catedral, en 1387. En ella se leerían el Evangelio y la
Epístola y se celebrarían misas ante la tumba de su padre: así-
mismo, hizo labrar dos altares, uno dedicado a S. Luis y otro a
San Fermín, en cumplimiento del testamento de Carlos II. La obra
en conjunto, costó 490 libras y no llegó a terminarse por el hundimiento del coro y gran parte de la iglesia. Sobre la fecha del
hundimiento, véase GOÑI, *l. c.*, pág. 147. Acerca de la construcción
de la nueva catedral que se inició bajo el mecenazgo del monarca
en 1394, véase, J. ZUNZUNEGUI, *El reino de Navarra y su obispado
de Pamplona, durante la primera época del Cisma de Occ.*, San
Sebastián, 1942, pág. 289, y GOÑI, *l. c.*, apéndice 9.

4. Se conservan dos documentos que hacen referencia a esta fundación de Carlos II en Santa María de Olite. El 16 de mayo de 1387,
el preboste de Olite, Juan de Ardanaz, paga 15 libras a los clérigos
para celebrar la capellanía perpetua por el alma de la reina Juana,
el día de la Pascua de Cuaresma, y el 3 de noviembre les entrega
la misma cantidad por idéntica celebración el día de San Miguel
(*Catálogo*, XVI, 946 y 1586).

[51]. Este rey don Carlos defuncto hobo en su tiempo grandes et diversas fortunas; apenas fue rey en Navarra que tantas e tales las hobiese, salvo de ser muerto a trayción como algunos fueron, dos en Navarra (1) et otros [1] en Castiella, en Chipre, en Anglaterra et en otras partes; de las quales fortunas tanto en su regno como en Francia que serían muchas et largas a escribir, el escribano aqui end pone una partida por non fazer enuio a los que aqui leyeren.

[52]. Primo, en su elevación, las juntas de Navarra se levantaron de mala manera et fue fecha justicia de algunos enforcados a la puent de Miluce. Et fecho esto, se retrayeron et vinieron a merce (1).

[53]. Item este rey, que había seydo casado empués su coronamiento con donna Iohana, fija del dicho rey de Francia don Iohan (1); in anno Dómini Mº CCCº LIIIº, empeçó a demandar sus derechos de las subcesiones que li pertenecían del ducado de Borgonna a causa de su madre, fija del rey Loys Hutín, et de su muger, fija heredera primera del duch Eude de Borgonna (2). Eso mismo requería sus drechos de Champannya [1] et Bría (3),

---

[51]. [1] otros] dos, B; todos, CD.
[53]. [1] Compayna, BCD.

[51]. 1. El único rey navarro que fue muerto a traición fue Sancho el de Peñalén. Es posible que el cronista tenga en cuenta también a su hermano, Sancho, que fue muerto en Rueda, aunque no llegó a reinar.

[52]. 1. Aunque la crónica asegura que «las juntas se le levantaron de mala manera», es posible, que la justicia se hiciera sin que una rebelión abierta tuviera lugar. La celeridad y facilidad con que el rey prendió a todos los jefes de las Juntas e hizo justicia, así como el secreto de los preparativos para llevarla a cabo, abogan por esta teoría. Los cuatro sobrejunteros que fueron ahorcados en el puente de Miluce eran: Miguel Pérez de Egüés, Pedro Zuri, Pascual Jhesu y García Martínez de Yza. Acerca de estas Juntas, véase, S. DUVERGE, *La justicia de Miluce*, en «B. C. M. Nav.», 1935, págs. 132-138.

[53]. 1. Su matrimonio con doña Juana, hija del rey de Francia, tuvo lugar el 22 de junio de 1351, contando la infanta 8 años.

2. La reclamación del ducado de Borgoña, por parte de Carlos II, tuvo lugar en 1361, a raíz de la muerte de Felipe de Rouvre, último heredero de los duques capetos de Borgoña. Carlos II era nieto de Margarita, la hija mayor del duque Roberto de Borgoña; Juan II de Francia era hijo de la hija segunda. Este alegó que en Borgoña no regía el derecho de representación e incorporó el ducado a la corona real; Carlos II inició entonces las reclamaciones. (LACARRA, *Hist. de Nav.*, t. III, pág. 66).

3. En 1354 se le habían entregado 38.000 libras tornesas de renta en

Sobre las quales requestas Carlos d'Espayna, conestable de Francia, se levantó contrario al dicho rey de Navarra, et hobieron sus palabras injuriosas, por las quales contesció mala fortuna: que ciertos hombres d'estado, servidores del dicho rey, veyendo la grant injuria et deshonor fecha por el dicho condestable al dicho rey de Navarra, lo hobieron de trobar et matar en la villa de la Ygle, a Francia, en el anno M° CCC° LV°; de la qual muert et rey obo perdón de su suegro, maguer sus gentes lo hizieron (4).

[54]. Depués, en el anno LVI, VI° dia de abril seguient, seyendo el dicho rey de Navarra en Roan a comer con el duch de

---

tierras, como compensación a su renuncia a los condados de Champaña y Bria y por lo que se le debía por razón de su matrimonio (DELACHENAL, *Chronique de Jean II et de Charles V*, París, 1910, T. I., pág. 41). Sin embargo, sus aspiraciones sobre estos territorios parece que siguieron en pie. El 25 de marzo de 1371, Carlos II ratificaba en Vernon, el tratado firmado por Cherburgo el año anterior (26 marzo), por el que aceptaba la villa de Montpellier a cambio de los territorios citados, pero esta ratificación sólo tuvo lugar al haber fracasado sus negociaciones con el rey de Inglaterra, en el proyecto de las cuales, Carlos II se comprometía a ayudar a Eduardo III, y cuando éste se apoderase del reino de Francia, recibiría en compensación, entre otras tierras, los condados de Campaña y Bria (ZUNZUNEGUI, *El reino de Navarra y su obispado de Pamplona, durante la primera época del Cisma de Occidente*, pág. 76).

4. La causa del enfrentamiento de Carlos de España, nieto de Fernando de la Cerca, con Carlos II se halla en el hecho de que aquél había recibido por donación de Juan II el condado de Angulema y los castillos de Bernon y Frontenay l'Abattu, que habían sido asignados a D.ª Juana, su madre, el 2 de octubre de 1349, a cambio de Pontoise, Beaumont-sur-Oise y Asnieres, y Carlos II reclamaba ahora sus derechos a estas tierras como bienes patrimoniales. La muerte del condestable tuvo lugar el 8 de enero de 1354; es posible que el rey sólo quisiera encerrarle y, o bien los encargados de apresarle se extralimitaron o le mataron al intentar defenderse. Carlos II, no obstante, obtuvo ventajas de este hecho, pues el temor de un posible acuerdo anglo-navarro forzó al rey de Francia a la firma del tratado de Mantes (22 de febrero 1354) concediéndole todas sus reivindicaciones en Normandía. Las cláusulas de este tratado en LACARRA, *Hist. de Nav.*, t. III, págs. 54-55 y CASTRO, *Carlos III el Noble*, pág. 17. Según MORET, (*Anales*, t. V., pág. 307), en la muerte del condestable intervinieron: Rodrigo de Uriz, Juan Ramírez de Arellano, Corbarán de Lehet, y los barones de Garro y Artieda junto con otros caballeros navarros. Lo cierto es que el 4 de marzo de 1354, todos los que habían tomado parte en el asesinato del condestable pasaban a ser vasallos de Carlos en Normandía, y éste y sus hermanos eran perdonados (*Catálogo*, II, 616). Las cartas de perdón fueron dadas en París, el 4 de marzo de 1354.

Normandia, su cunnado Carlos, primogénito del dicho rey Iohan de Francia, el dicho rey Iohan veno quexadament de París et, seyendo en mesa a comer, tomó preso al dicho rey de Navarra, al comte de Arecort et al sennor de Gravilla et otros qui fueron muertos prontament [1] (1). Et el dicho rey de Navarra fue puesto en presión a Chateau Gayllar [2] sobre el río de Sena; depues fue levado en Picardia, en el castiello de Aloz en Paluel (2).

[55]. Item en el dicho LVIº, el dicho rey Iohan de Francia fue delant Potiers [1] (1) tomado en batalla por el principe de Galles inglés, fijo primogénito del rey Edoart de Anglaterra, et XVIIIº meses empués, mossen Iohan de Piquení, mossen Robert et mossen Phelip, sus hermanos, con sus gentes picardos, sacaron fuera de presión al dicho rey de Navarra (2); sobre el qual rey de Navarra [2], mossen Philip su hermano qui se retrayó a Chirebourg [3], había seydo ante de la delivranca [4] en Anglaterra.

---

[54]. [1] puntament, B; puntualment, CD.—[2] chasteau Gallart, A.
[55]. [1] Petiers, A.—[2] sobre el qual rey de Navarra] om. D.—[3] Chireburg, BCD.—[4] liberanza, BCD.

[54]. 1. El día exacto de su prisión fue el 5 de abril y la causa parece estar en sus instigaciones al delfín a tomar el poder. Al día siguiente, además del conde de Harcourt y del señor de Granville, fueron decapitados por este incidente Maubue de Mainemares y Colin Doublel (LACARRA, *Hist. de Nav.*, t. III, pág. 58).
2. La enumeración de todos los lugares en que estuvo prisionero, en CASTRO, *Carlos III*, pág. 20.
[55]. 1. La batalla de Poitiers tuvo lugar el lunes 19 de septiembre.
2. Carlos II recuperó la libertad el 9 de noviembre de 1357. Los historiadores difieren acerca de las personas que llevaron a cabo su liberación. CASTRO, *Carlos III*, pág. 24, recoge las distintas versiones de este hecho. El cronista sigue las fuentes francesas, y la atribuye a Johan de Picquigny y sus hermanos. Johan de Picquigny, señor de Fluy, pertenecía a una familia de origen normando; compartía con Jean de Gounelieu el gobierno del condado de Artois en 1346. Sin embargo, no tardó en pasarse a la oposición y en 1356 aparece ya como uno de los cabecillas. En compañía de sus hermanos Robert y Philippe, y quizá a petición del partido de reformas, sacó de su prisión a Carlos II, obteniendo por ello en recompensa, entre otros favores, el honor de unir sus armas con las de Navarra en el escudo. Sin embargo, su carrera fue breve; después de haber tomado parte activa en la guerra civil con su hermano Robert, murió en Evreux, antes de mayo de 1359. Sus hermanos Robert y Philippe llevaron el título de mariscales del rey de Navarra y participaron en la guarda y en la administración de sus tierras normandas. Robert fue capitán de Pont-Audemer hasta 1364 en que desaparece. Philippe era capitán de Bernay en 1363, ostentando después el mismo cargo en Pont-Audener desde junio de

[56]. Et fueron grandes guerras en Francia luengament, et muchas pazes[1] fueron fechas que non se tenían (1); las quales, el dicho rey de Francia Carlos, fijo del rey Iohan que morió presonero en Anglaterra, rompió; et fizo tomar sin causa nenguna por don Beltran de Claquin, conestable de Francia, la villa de Mante[2], Meulane[3] et Longavilla in anno Domini M° CCC° LXIII°; en el qual anno era muerto el dicho mossen Philip (2) et era venido en Francia et Normandía logarteniente, empués él, don Iohan de Gresli[4], captal de Buch, gascon, el qual hobo batalla con el dicho don Beltran, conestable de Francia, en el logar de Cocherel, do fue preso el dicho captal et muchos otros gascones, navarros e ingleses; et muchos morieron en la batalla, que fue in anno Dómini M° CCC° LXIIII°, VIII°[5] dia de mayo (3).

[57]. Depués fueron tomar a Carenten[1] et Valoynas en Constantín et cuydaron tomar a Chirebourg, et como Dios quiso volver la rueda de fortuna, el dicho condestable se fue en Bretanna por levantar el setio del castiello de Auroy, que y tenía, con grant poder de ingleses, el duch don Iohan de Bretanna contra don Carlos, comte de Bloys su adversario, et fueron esconfidos[2] el dicho condestable con sus compaynas[3] el dia de Sanct Miguel en el dicho anno (1).

---

[56]. [1] partes, BCD.—[2] Monte, CD.—[3] Melaune, A.—[4] Iohan de Gresly, BCD.—[5] VIII°] om. BCD.

[57]. [1] Carentent, BCD.—[2] escongidos, CD.—[3] campaynas, BCD.

1364 hasta noviembre de 1366; durante la guerra de 1364-65, tuvo bajo su custodia al heredero de la corona navarra, recibiendo luego por ello, en recompensa, el castillo de Trinchebray con 500 libras de renta (S. HONORE-DUVERGE, *Des partisans de Charles le Mauvais: les Picquigny*. «Bibl. de l'Ecole de Chartes», CVII, 1947-8, págs. 82-92).

[56]. 1. Entre las paces firmadas en estos años, figuran la de Valongnes (21 de agosto de 1359) y la de Bretigny (1360). Por este último tratado, Juan II, prisionero en Inglaterra desde la batalla de Poitiers (1356), recuperó la libertad.

2. El infante Felipe, conde de Longueville y hermano del rey, había muerto en Vernon el 29 de agosto.

3. Todos los pormenores de esta batalla han sido documentados por M. LARRÁYOZ en *Eco de la batalla de Cocherel en los docs. de Comptos reales de Navarra*, «Príncipe de Viana», 1964, págs. 253-275. Los copistas nos han transmitido con error el día de la batalla, que tuvo lugar el 16 de mayo. Sobre el desarrollo de la misma, puede verse, S. LUCE, *Histoire de Beltran du Guesclin et de son epoque*, París, 1882, págs. 394-405.

[57]. 1. La circunstancia que indujo a Bertrán du Guesclin a abandonar de momento la guerra con Navarra, levantando el sitio de Cherburgo,

[58]   Item, en el anno Mº CCCº LXVº, el dicho rey de Navarra imbió a la reyna su muger en Francia, a su hermano el rey Carlos, por abrir manera de paz (1), et era preynada del infant don Pedro de Navarra qui fue nascido en Evreux, el çaguero dia de março del dicho anno (2); et seyendo de tres meses, ella lo traxo con sí, et así bien don Carlos, su primogénito, qui había IIIIº annos, a su padre en Navarra (3).

[59].   Item en el anno Mº CCCº LXVIº (1), el princep de Galles ingles et el rey don Pedro de Castiella, qui su hermano don Henrrich bastart habia echado fuera, hobieron de pasar por Navarra con su huest por conbater al dicho don Henrrich et don Beltran Claquín [1], bretón, conestable de Francia, qui había seydo presonero en Bretaynna (2), et muchos otros comtes, barones et caballeros: et fue la batalla a Nagera, en quaresma, do fueron vencidos los dichos don Henrrich et don Beltran; el qual don

---

[59]. [1] 5 Claquin, AB.—[2] don Henrrich et don Beltrán; el qual don Henrrich] *om.* BCD.—[3] banera] *lag.*, D.

fue otra guerra suscitada entre el conde de Monfort y Carlos de Blois, sobre la pretensión de Bretaña. Bertrán du Guesclin, en nombre del rey de Francia, acudió en ayuda de Carlos de Blois. En la batalla de Auray (29 sept. 1364), Carlos de Blois perdió la vida y Bertrán du Guesclin quedó prisionero del conde de Monfort, duque ya de Bretaña desde esta fecha. (YANGUAS, *Historia Compendiada del Reino de Navarra*, San Sebastián, 1832, pág. 210).

[58]. 1. El viaje de la reina se inició el 22 de noviembre y llegaba a Evreux el 23 de diciembre. El itinerario puede verse en CASTRO, *Carlos III...*, págs. 34-35.

2. El infante Pedro nacía en Evreux, según ALENSON, (*Annales*, t. VI, pág. 17) el 31 de marzo de 1366 y según DELACHENAL (*Hist. de Charles V*, t. III, pág. 193, n.º 2) el 5 de abril, día de Pascuas, de 1366.

3. La reina y los infantes abandonaron Evreux el 2 de junio y llegaron a Pamplona a mediados de julio. Se encontraron con el rey a primeros de julio en S. Jean de Pied de Port, donde todavía permaneció el rey unos días antes de regresar a Estella, CASTRO, *Carlos III*, págs. 36-37, da una exposición detallada del itinerario de este viaje.

[59]. 1. El cronista sigue el cómputo de la Encarnación; la vanguardia del ejército inglés empezó a cruzar los Pirineos en febrero de 1367. Para todo lo referente a la política doble y ambigua seguida por Carlos II con los hermanos rivales, Pedro I y Enrique de Trastamara, durante la guerra civil castellana, véase SUÁREZ FERNÁNDEZ, *Historia de España* dirigida por Menéndez Pidal, t. XIV, págs. 99 y ss.

2. Había sido liberado de su prisión en la batalla de Auray mediante un rescate de 30.000 francos, YANGUAS, *Historia Compendiada*, pág. 211.

Henrrich[2] se fuyó et l'otro fue preso (3). A la qual batalla el rey de Navarra non fue et y embió su alferiz mossen Martín Enrriquez de Lacarra con la banera[3] et bella compayna de navarros et gascones con él (4).

[60]. Depués el rey de Navarra, seyendo grant tiempo en su regno, obo de ir en Normandia, a Cherbourg, en el anno Mº CCCº LXX (1), do vinieron a Chirebourg mesajeros del rey de Francia, es assaber: don Iohan comte de Salebruca, el dean de Paris maestre Pierres Blanchet et otros.

[61]. El rey de Navarra se fue en el anno seguient a Evreux et d'allí, a VIIe leguas, a Vernon, sobre el rio de Sena, do el rey de Francia era venido; et alli fue fecha paz et tracto, que por la villa de Mante et Meulench sobre el rio de Sena et por el comtado de Longavilla en Caux[1], el rey de Navarra hobo la baronía et villa de Monpeslier[2] et el comtado de Cessenon (1); et fecha la paz, a poco tiempo, el rey se tornó de Francia et veno a Monpeslier tomar su posesión et d'allí por Aviñón[3], al papa Gregorio XIº a se agraciar[4] et se tornó en Navarra (2); et duró la paz seys annos.

[62]. Tornando aqui a fablar de otra mala fortuna, quando el dicho rey de Navarra partió de su regno, en el dicho anno LXXº, a yr en Normandía, dexo regidera la reyna et li[1] dio por

---

[61]. [1] Caax, CD.—[2] Mospelier, BCD.—[3] Avinon, ACD.—[4] agradar, A.

3. La batalla de Nájera tuvo lugar el 3 de abril de 1367. D. Enrique huyó a Francia y Bertrán du Guesclin, prisionero, no tardó en ser puesto en libertad bajo rescate. Acerca de la batalla, véase DEPREZ, *La batalla de Nájera*, en «Revue Hispanique», CXXXVI, 1921, págs. 38-56.

4. Toda la aportación navarra en esta guerra estuvo reducida a trescientas lanzas al mando de Martín Enríquez de Lacarra (SUÁREZ, *l. c.*, pág. 112), a quien la reina, Juana de Navarra, había enviado el pendón del rey, el 23 de marzo (*Catálogo*, t. VI, 833).

[60]. 1. La fecha es incorrecta: Carlos II partió de su reino hacia Normandía en junio de 1369 y llegó a Cherburgo el 13 de agosto, iniciando allí una serie de reclamaciones al rey de Francia, CASTRO, *Carlos III*, pág. 41.

[61]. 1. La paz de Vernón se firmaba el 21 de marzo de 1371 y venía a ratificar el acuerdo del 6 de marzo de 1365. Además Carlos II se vio obligado a prestar a Carlos V homenaje por todas sus posesiones en Francia. LACARRA, *Hist. de Nav.*, t. III, pág. 109.

2. El 22 de marzo de 1372 entra solemnemente en Montpellier y el 22 de junio emprende su regreso a Navarra.

conseilleros [2] a don Bernart Foccaut nascido et [3] obispo de Pamplona et don Iohan Cruzat, dean de Tudela, doctor [4]; de los quales su regimiento fue tal, por mala fortuna, que el rey quando fue tornado de Francia, in anno M° CCC° LXXIII, non fue contento dellos et se absentaron, et depues mas non tornaron (1). El obispo se fue a Roma et morió [5] en [*Agnani*] [6] de su muert (2), et el dean fue muerto cerca de Logronno, a mala muert, por un hombre que dezía que li [7] tenía tuerto (3).

[63]. Otra mala fortuna de don Rodrigo d'Uriz, cambelan del rey, ricombre, el cual rey mucho lo amaba et lo había ante casado con la duenna de Lucxa [1]. Sin licencia de su sennor el rey, fizo su tracto de matrimonio con el dicho don Henrrich, rey de Castiella, que li otorgo por su muger a la fija de su hermano; sobre [2] el qual casamiento, el dicho rey de Navarra hobo de dezir al dicho don Rodrigo et imbiar sus mensageros que non lo fiziese, sen saber los mesageros: mosen Martín d'Uriz, hermano del

---

[62]. [1] li] la, BCD.—[2] consellos, BCD.—[3] et] el, BCD.—[4] doctos, BCD.—[5] et morio] *om*. A.—[6] Avania, A; Albania, BCD.—[7] qui le, CD.

[62]. 1. El cronista retrasa el viaje del rey a Francia un año, pero Carlos II partió para Normandía en junio de 1369 y regresó en 1372. El 28 de mayo de 1369, en Estella nombra a la reina Juana lugarteniente en su ausencia y le da facultad para nombrar procuradores con el fin de firmar acuerdos con Aragón (*Catálogo*, VII, 695). Juan Cruzat, como procurador de la reina, firmó alianzas con Aragón el 4 de febrero de 1370, y treguas con Castilla, el 26 de octubre (*Catálogo*, VIII, 51 y 292). Siguió interviniendo en las cuestiones con Castilla, que en 1371 fueron sometidas al arbitraje del Papa y de Francia, véase LACARRA, *Hist. de Nav.*, III, pág. 111. No obstante, al regreso de Carlos II a Navarra, huyó del reino junto con el otro procurador, Bernart Folcaut obispo de Pamplona, sin esperar el resultado del juicio a que el rey les sometió. Sobre las posibles causas que dieron lugar al juicio, véase GOÑI GAZTAMBIDE, *Los obispos de Pamplona del s. XIV* («Príncipe de Viana», LXXXVI, 1962, págs. 151-152).

2. Bernart Folcaut llegó en su huida hasta Avignon donde el Papa lo acogió en su Corte. Su destierro no supuso, sin embargo, una renuncia ni una deposición y el obispo siguió gobernando su diócesis desde allí. En enero de 1377 fue a Roma acompañando a Gregorio XI desde Avignon y medio año después moría en Agnani, donde a la sazón residía el Papa, a la edad de 62 años. (GOÑI GAZTAMBIDE, *Los obispos del XIV*, pág. 156).

3. Juan Cruzat fue alcanzado y muerto cerca de Logroño, antes del 29 de julio de 1373, fecha en que Carlos II le confisca sus bienes (*Catálogo*, IX, 129), que fueron empleados en la construcción del convento de carmelitas de Pamplona.

dicho don Rodrigo, mosen Iohan Renalt [3] caballero, alcalde de [4] Tudela, Sancho López d'Uriz, parient del dicho don Rodrigo et conseillero del rey; et non lo quiso fazer, pensando que el rey non sabía todo el tracto que había fecho con el rey de Castiella, en el qual tracto [5] era que el dicho don Rodrigo había de poner en la mano del rey de Castiella, el castiello de Tudela et de Caparroso, que el tenía como merino; et por esta causa, et en el sabado vigilia [6] de Pascua de Quaresma, que fue XXIX° día de março, anno ab Incarnacione M° CCC° LXXVI° (1), debía partir de Pamplona por yr en Castiella a fazer su boda, el rey lo fizo tomar de mannana en el palacio del Obispo, en Pamplona, en presencia de don Martin d'Uriz cabaillero, su hermano, et otros parientes et lis notificó el caso de la presa, et a su hermano [7] el dicho don Martín, el qual dixo «non so su hermano», luego empues fue degollado, no en publico por honor de los parientes; el cuerpo fue enviado a enterrar en Sanct Agustín de Pamplona.

[64]. Item en el anno M° CCC° LXXVII° (1), otra fortuna [1]: el dicho rey de Navarra embió sus dos fijos en Francia [2], don Carlos primogénito et don Pedro su hermano, por servir al rey de Francia (2); don Pedro fue primero et depués don Carlos, et fueron tomados presos en Senlís por el dicho rey de Francia don Carlos, lur thio, poniendo achaquía de los ingleses et otras acha-

---

[63]. [1] Luexa, CD.—[2] con, BCD.—[3] Ranalt, BCD.—[4] alcalde de] a la ciudad de, BCD.—[5] en el qual tracto... el castiello de] om. BCD.— [6] vigia, D.—[7] et presentes, A.

[64]. [1] (fortuna) en] add. BCD.—[2] Francia... Francia] om. BCD.—[3] de Tertre, BCD.—[4] Beamont, BCD.—[5] Pontea de mer, BCD.—[6] Gaurayn, BCD.

[63]. 1. Algunos documentos permiten comprobar la veracidad de este relato, retrasando únicamente la fecha de procesamiento de Rodrigo de Uriz a 1377 y rectificando el día, que fue el 28 de marzo, sábado santo. Sus relaciones con el rey eran buenas durante todo el año de 1376 y recibió de él varias donaciones: el 6 de junio, Carlos II le concedía 200 florines de gracia especial y el 23 de septiembre, desde San Juan de Pie de Puerto, 500 libras de carlines prietos, (Catálogo, X, 152 y 255). Todavía el 20 de marzo de 1377, recibía 500 libras como pago de las 2.000 que el rey le había concedido por su matrimonio (Catálogo, X, 622). Sin embargo, el 17 de abril de 1377, desde Sangüesa, Carlos II comisionaba a Bertholot de Labiano para guardar y recaudar los bienes que fueron de Rodrigo de Uriz, en las merindades de Sangüesa y de las Montañas, las cuales le habían sido confiscadas por crimen de lesa majestad (Catálogo, X, 649).

[64]. 1. La fecha sigue el cómputo de la Encarnación, ya que estos hechos tuvieron lugar en enero de 1378.

2. Sobre los motivos del viaje, véase CASTRO, Carlos III, págs. 64-65.

quías allegando, en el mes de março del dicho anno (3); et de las gentes del dicho rey de Navarra fueron escabezados et fechos quartos a París, Jaquet de Rua cambelan et maestre Pierres du Tertre [3] conseillero del dicho rey de Navarra et eran de Francia (4), et Ferrando d'Ayanz (5), navarro, qui era gobernador por el dicho rey de Navarra en Francia et Normandía, ante de la venida de los dichos fijos, fue preso et puesto en las presiones de Castellet a París, do el fue et en otros logares por X annos et IIIIº meses; et fecha la presa de los dichos dos fijos, el dicho rey de

---

3. Fue detenido en primer lugar Jacques de Rue, alrededor del 25 de marzo, cerca de París, con documentos comprometedores sobre los futuros planes de Carlos II. Toda su declaración puede verse en LACARRA, *Hist. de Nav.*, t. III, págs. 121-122. Como consecuencia, el rey de Francia apresó en Senlis al infante Carlos y a todo su séquito, exigiendo además juramento de fidelidad de todas las fortalezas navarras en Normandía; algunas plazas resistieron y fueron tomadas por la fuerza, entre ellas Bernay, donde fue apresado Pierres du Tertre, secretario del rey de Navarra con nuevos documentos comprometedores (LACARRA, *l. c.*, pág. 124). Este, prisionero en el Temple de París confesó el 20 de marzo (DELACHENAL, *Chronique de Jean II et Charles V*, t. II, pág. 308.

4. Fueron decapitados a las puertas de París el 21 de junio de 1378 (CASTRO, *Carlos III*, pág. 72).

5. Ferrando de Ayanz aparece en la documentación hacia 1361 como cambrero del infante Luis (*Catálogo*, III, 988). En agosto de 1362 era alcaide del castillo de Pintano y en 1364 lo era también del de Burgui (*Catálogo*, IV, 455; V, 150, 472).
   A partir de este año debió de pasar a Francia, donde, en 1374 era gobernador de las tierras del rey de Navarra en Francia y Normandía (*Catálogo*, IX, 585, 586). Regresa antes de 1377 en que aparece en Pamplona como merino de Sangüesa y contrae matrimonio con Toda Martínez de Medrano (*Catálogo*, X, 867, 984; XV, 1.460). Acompañó al infante Carlos en su viaje a Francia en 1378 y según J. R. CASTRO (*Carlos III*, págs. 69-70), fue apresado en París por decisión del propio infante navarro; estuvo preso desde el 25 de enero de 1379 en el castillo de Rouen, donde le custodiaba Robert d'Aresues, en concepto de lo cual cobraba 2 francos de oro diarios (DELACHENAL, *Crónica de Juan II y Carlos V*, t. III, doc. n.º 31, pág. 224). No llegó a estar en prisión 10 años porque en 1384 ya había regresado a Pamplona (*Catálogo*, XV, 221). Carlos III le hizo muchas donaciones: el 20 de abril de 1388 le concedió una pensión de 1.600 libras anuales; en agosto del mismo año, la castellanía de San Juan de Pie del Puerto y la bailía de la tierra de Micxa; el 8 de abril de 1389 le volvió a nombrar merino de Sangüesa, por cuyos servicios cobraba 100 cahíces de trigo y 200 de avena anualmente, y en 1382 le nombró maestro de su hostal. Murió poco antes del 25 de julio de 1394 (*Catálogo*, XVII, 243, 323, 499; XIX, 531, 559; XX, 913).

Francia Carlos, embió sus letras a todos los reyes christianos por disfamar al dicho rey de Navarra, et como tenía sus fijos, et como había perdidas sus tierras, et de fecho los castiellos del dicho rey de Navarra en Francia e Normandía fizo tomar et echar por tierra, son a saber: en Francia, Breval, Nonancort, Nogent, Anet et Paci; et en Normandía, Evreux, Beaumont[4], Bernay, Orbec, Ponteau de mer[5], Trinchebray, Mortayng, Avranches et Gavray[6]; et non fincaron a abater en la Normandía que Conches; item en la Baxa Normandía, Renier villa puerto de mar, Carenten, Pont Donue et Valoynas, que tovieron los franceses sin abater por fazer frontera contra Chireborg (6) que tenian en peynnos los ingleses y con ellos se eran retraydos los navarros; et fizo poner setio delant Chireborg do eran los duques de Borgonna et de Borbón et don Beltrán Claquín, conestable de Francia, et muchos otros sennores; et y levaron al dicho don Carlos, primogénito de Navarra, maguer presonero, et el setio levantaron a cabo de un mes ovirón.

[65]. Item el rey de Francia embió sus mensageros a don Enrrique, rey de Castiella, qui era su ligado et de su favor, que hobiese a conquerir Navarra et destruyr. Desto fue advisado el dicho rey de Navarra; pensando que haría bien, fizo tractar con Pedro Manrique[1], adelantado de Castiella et capitanne de Logronno, que él sería de su part contra su sennor el rey de Castiella et daría Logronno[2] al dicho rey de Navarra por tener sus gentes d'armas que había plegadas, de navarros et gascones, a numero de III[c] lancas; et hobo el dicho Pero Manrrique del dicho rey de Navarra grant financa; et por los tractos firmar, el dicho rey se fue de Pamplona a Viana en el mes de mayo M[o] CCC[o] LXX[o] VIII[o], do veno a él el dicho Pero Manrrique por las gentes d'armas haber[3] et los levo con sí a Logronno; en el qual logar el traydor Pero Manrrique a su rey de Castilla, don Henrrich, et así bien[4] al rey de Navarra, habia puestos et escondidos en logares secretos muchos hombres d'armas de Castiella, los

---

[65]. [1] Pero Manrrich, A.—[2] Logroyno, Logroino, BCD.—[3] haber] *om.* CD.—[4] et a su bien, BCD.

6. Cherburgo fue el único fracaso francés en la campaña de Normandía. Carlos II la entregó a los ingleses por tres años, el 1 de agosto de 1378, a cambio de que éstos le facilitaran anualmente, durante cuatro meses y a su costa, 500 arqueros y 500 hombres de armas para ayudarle en su lucha contra Enrique II de Castilla. Sobre la campaña de Normandía, LACARRA, *Hist. de Nav.*, t. III, pág. 124 y CASTRO, *Carlos III*, págs. 70 y 72.

quales dexaron desarmar los navarros e gascones et los tomaron presoneros; et fueron pocos los que escaparon por el río de Ebro (1). Asi el traydor fizo trayción al rey de Navarra, el qual non quiso creer a muchos de sus servidores que non se fidase en el dicho Pero Manrrique. Aquí es a notar grant fortuna et como muchos qui non creyen consejo son engaynados.

[66]. Et el dicho rey de Navarra, veyendo que no había gentes, se fue a pocos dias a Bordeaux (1) et fizo venir a un capitanne ingles, nombrado mossen Tomas Trevet (2), et otros capitanes con el a numero de CLX lancas, qui fueron repartidos et puestos en Pamplona una partida, en Tudela, los Arcos[1], Viana, Estella, Lerín, Sanguessa et otros logares, por los guardar; en la qual guerra el escribano deste libro dize que el rey de Navarra espendió e perdió de su thesoro como en el compto de la thesorería de anno Mº CCCº LXX VIIIº es contenido; et por esto, quando veno a regnar el dicho infant primogénito, don Carlos, non fallo res en thesoro de su padre. Non conviene mas fablar aqui car Salomón[2] pone en su libro que non sia demandado al rey porque faze así, etc...

---

[66]. [1] Los Arquos, A.—[2] Salmón, A.

[65]. 1. Jacques de Rue, en sus declaraciones como prisionero en Francia, sacó a la luz las negociaciones iniciadas por Carlos II con Pedro Manrique, adelantado de la frontera, y otros jefes castellanos, para la entrega de Logroño y otras plazas fronterizas. Sin embargo, no es seguro si el rey de Castilla tuvo noticia de estos tratados a través del rey de Francia o si Pedro Manrique, al saber la detención de Jacques de Rue, informó de todo a Enrique II para evitar ser acusado de traición. LACARRA, *Hist. de Nav.*, t. III, pág. 127, considera más probable esta segunda versión transmitida por AYALA, *Crónica de Pedro I,* pág. 33. La documentación conservada proporciona algunos datos que sirven para precisar la traición de Pedro Manrique: prometió la cesión de Logroño a cambio de 20.000 florines de oro; el 27 de abril recibió 1.000 florines por la pensión anual que le fue asignada por Carlos II; el 23 de junio le daba orden de pagar los 20.000 florines, el 24 prestaba homenaje en Viana al rey de Navarra y el 26 reconocía haber recibido los 20.000 florines (*Catálogo*, XI, 247, 423, 426, 433 y 439).

[66]. 1. Salió de Navarra con el fin de solicitar ayuda de los ingleses; estuvo algún tiempo en San Juan de Pie del Puerto y en octubre de 1378 se trasladó a Burdeos (*Catálogo*, XI, 676, 578 y 782).

2. Tomás Trevet estaba ya en Pamplona el 4 de diciembre de 1378; el 16 de diciembre recibía de Sancho el Mayor, recibidor general de la ayuda de los 6.000 florines, 1.000 florines de Aragón por sus gajes y los de sus gentes de armas en servicio del rey, cantidad

[67]. Este rey don Carlos había empecados los edificios por un colegio de Sancta María d'Uxue et los fazía fazer don Iohan d'Azanza[1], abbat de Irach (1); la qual obra cesó por la dicha guerra.

[68]. Item otra fortuna: a pocos dias seguientes, el rey don Henrrich de Castilla segunt li fue mandaddo del rey de Francia, imbió a su fijo primogenito don Iohan, infant de Castiella, qui fizo su entrada en Navarra en el mes de mayo (1) del anno M° CCC° LXX VIII° et veno con grandes compannas delant Pamplona, a la aldea de Gorrayz[1], do él fue por espacio de un mes, et con él, ciertos navarros non buenos a su natura, como adelant seran nombrados; et fue rendido el castiello de Tiebas por el caballero de Berrio, por Roy[2] Díaz de Torres et Salmon de Pobroch[3], capitanes, al dicho Pero Manrrich, adelantado de Castiella, el qual fizo quemar depués el dicho castiello en el mes de agosto seguyent. Item el dicho infant de Castiella se levantó del setio a cabo de un mes et mando quemar toda la tierra (2); et el

---

[67]. [1] d'Acanca, A
[68]. [1] Garrayz, BCD.—[2] Roy] om. BCD.—[3] Salmon de Pobrich, D.

que se completó con un nuevo pago, el 20 de diciembre, de 2.000 florines más (*Catálogo*, XI, 832, 910 y 918).

El cinco de febrero del siguiente año, Tomás Trevet recibía 750 florines por los gajes de un mes de 100 hombres de armas y 100 «pillartz»; cantidad que se incrementó el día 8 del mismo mes en 300 florines, a la vez que aparece como capitán y guarda del castillo y villa de Tudela. El dos de abril recibe nuevamente de Sancho de Mayer 7.500 florines por sus gajes y los de sus compañías por los meses de febrero y marzo. Tenía asignada una pensión de 1.000 florines anuales y por cada uno de sus hombres recibía además 25 florines mensuales (*Catálogo*, XII, 180, 331 y 524). Por estas fechas termina su estancia en Navarra; no estaba ya en el mes de mayo, cuando su procurador en Londres, Thomas Willington, recibía del secretario de Carlos II, 5.000 francos de los 8.000 que todavía le adeudaban por sus gajes y los de sus gentes en el tiempo de su estancia en Navarra (*Catálogo*, XII, 767).

[67]. 1. Fue abad de Irache desde 1363 a 1384.
[68]. 1. La invasión de Navarra no pudo empezar en el mes de mayo como señala el cronista, ya que la traición de Pedro Manrique tuvo lugar a finales de junio y éste fue el principio de las hostilidades. Acerca de esta campaña del infante Juan de Castilla en tierras navarras, véase LACARRA, *Hist. de Nav.*, t. III, págs. 128-130, y SUÁREZ FERNÁNDEZ, *H.ª de Esp.*, dirigida por Menéndez Pidal, págs. 194-195.
2. El infante de Castilla sólo levantó el cerco de Pamplona en el mes de octubre ante la inminente llegada de Tomás Trevet, retirándose hacia los acantonamientos de invierno, entre Logroño y Santo Domingo de la Calzada (LACARRA, *Hist. de Nav.*, t. III, págs. 129-130).

rey de Navarra estaba en Sanct Iohan del Pie del Puerto, et assí lo hizieron en la mayor partida.

[69]. Aqui otra mala fortuna de los navarros malos a su sennor en esta guerra. Don Iohan Remíriz el moço [1] compadre del dicho rey de Navarra, qui baptizó en Viana a su fijo Carlos, veno a Pamplona et tomo el sueldo para sí et su compannya; et fue el primero qui entró en Navarra a fazer guerra; et su padre don Iohan Remíriz d'Arellano [2] veno guiador del dicho infant de Castiella a entrar en Navarra et engaynar e falagar a muchos del regno, el qual ni la mayor partida de sus parientes et a el ligados [3] et de su bando, non fueron bonos nin leales (1).

---

[69]. [1] el moro, D.—[2] Areillano, BCD.—[3] llegados, A.

[69]. 1. Juan Ramírez de Arellano era navarro pero estuvo siempre al servicio del rey de Castilla. No obstante, mantuvo al parecer buenas relaciones con Carlos II hasta 1366, recibiendo de manos de este rey algunas donaciones; en 1365 le hizo ricohombre y le concedió 6 caballerías de 20 carlines prietos cada una, cantidad que le asignó, en 1366, sobre las pechas y emolumentos del rey en la villa de Sesma; en el mismo año, el 21 de enero, Carlos II le otorgó asimismo, para él y sus descendientes, las villas de Arellano y Subiza (*Catálogo*, V, 922 y VI, 45 y 46). Acerca de sus actividades diplomáticas en Aragón en estos años, véase LÓPEZ DE MENESES, *El Canciller Pero Lopez de Ayala y los reyes de Aragon* (E.E.M.C.A.», VIII, 1967, págs. 213-218). Parece que se desnaturalizó del rey de Navarra en este año de 1366 y Enrique II de Castilla le entregó, para él y sus descendientes, todas las villas, castillos y lugares que fueron de Juan Alfonso de Haro y sus hermanos, como señores de los Cameros (YANGUAS, *Dic. de Antig.*, II, 487).

Su hijo, Juan Ramírez de Arellano, el mozo, siguió en la amistad del rey de Navarra y recibió de éste varias donaciones. El 14 de noviembre de 1376 le concedió 500 libras de carlines prietos de gracia especial y el 16 de marzo de 1377 la villa y castillo de Valtierra, a lo que añadía poco después, los lugares de Mendinueta y Arruazu, que habían sido confiscados a Rodrigo de Uriz (*Catálogo*, X, 365 y 616 y 658). Este Juan Remírez estaba casado con Teresa, hermana de Juan García Manrique, que fue obispo de Sigüenza desde 1375, y tuvo un hijo, Carlos de Arellano, que fue apadrinado por el rey de Navarra el 5 de mayo de 1377 y le concedió la villa de Sesma (*Catálogo*, X, 669). Todavía seguía en amistad con el rey de Navarra el 18 de mayo de 1378 cuando recibe, en nombre de su hijo Carlos, la pecha de los labradores de Sesma (*Catálogo*, XI, 304).

Pero poco después de esta fecha, y a causa de su deslealtad en la guerra con Castilla, todas sus posesiones y tierras en Navarra les fueron confiscadas y entregadas a Carlos de Beaumont, alférez del reino, quien las tuvo hasta 1397, en que Carlos II, accediendo a las súplicas y promesas de fidelidad de Carlos de Arellano, le prometió devolvérselas (*Catálogo*, XXII, 154).

[70]. Item don Remiro Sanchiz, sennor d'Assiayn [1] (1), qui ante de la guerra moraba en Castiella con don Iohan Remíriz, veno a su sennor rey de Navarra et ovo perdón de su sennor; et por lo servir, tomo el sueldo et non se traxo bien en la guerra, él ni los de su palacio; por la qual razón su tor d'Assiayn fue echada.

[71]. Esto fecho, el rey de Castiella, don Henrrich, seyendo flaco, veno de Sevilla ata Sancto Domingo de la Calçada et d'alli ovo sus mensajeros enta el rey de Navarra por tracto de paz (1), porque ciertos ingleses et gascones, qui eran en ciertas fortalezas de Navarra, qui los guardaron en la guerra, se fuesen. El qual rey

---

[70]. [1] Assiay, A; d'Assyain, CD.

[70]. 1. Remiro Sanchiz, señor de Asiaín, debió pasar a residir en Castilla junto con Juan Remírez de Arellano, en 1366, ya que en este año desaparece en la documentación navarra. Abundan, sin embargo, las noticias referentes a él en años anteriores: estaba casado con Juana Enrique de Lacarra, ya en 1359 (*Catálogo*, L, 304). En 1361 se le confía la guarda de la torre de Echarri (*Catálogo*, III, 633). En 1362, recibe 186 libras por sus gajes y los de su hermano Tello, del mes de septiembre, sirviendo al infante Luis en la frontera de Sangüesa (*Catálogo*, IV, 576). En 1363, 110 florines más por sus gajes y los de sus compañeros cuando fueron con el infante Luis a la guerra de Aragón en ayuda del rey de Castilla (*Catálogo*, IV, 1.445, 1.510 y 1.537). Desde 1369 gozaba de 50 libras anuales de renta y tenía asignadas además, 120 libras de carlines prietos por sus caballerías (*Catálogo*, V, 847 y VI, 23). Intervino también activamente en la guerra civil castellana de 1366, al principio al servicio del rey de Navarra, por lo que se le efectuaron diversos pagos para su aparejamiento y posteriormente por sus gajes y los de su ejército (*Catálogo*, VI, 39, 41, 42, 88, 122, 123, 126, 127, 198, 199, 345 y 381). Su regreso a Navarra era ya efectivo en mayo de 1378, cuando Carlos II le concede 1.500 florines en préstamo para poder pagar a Juan Ramírez el joven (*Catálogo* XI, 310). Actuó pues en esta guerra al lado del rey de Navarra, por lo que se le pagaron 500 florines de oro, y en julio de 1379 aparece entre los elegidos por Carlos II como comisionados para jurar el cumplimiento del tratado de paz entre Castilla y Navarra (*Catálogo*, XII, 584, 745 y 993).

[71]. 1. La paz se firmó en Briones, el 31 de marzo de 1379, y afectaba a las relaciones de Navarra con Castilla, Inglaterra y Francia. Un análisis detallado de las cláusulas de este tratado y otros acuerdos complementarios posteriores puede verse en CASTRO, *Carlos III el Noble*, págs. 91-100. En las negociaciones del tratado, Carlos II estuvo representado por dos procuradores nombrados al efecto, Miguel de Tabar, prior de Pamplona, y Remiro de Arellano (*Catálogo*, XII, 492).

de Navarra, segurado[1] del dicho rey de Castiella por letra de salconduit solamente se fue a vistas al dicho rey de Castiella a Sancto Domingo (2) et fizieron paz por tal forma, que el castiello de Tudela, el castiello de Sant Vicent, de La Guardia[2], d'Estella[3], de Lerraga et de Miranda, el rey de Castiella[4] los tendria a fermedat de paz en rahenas, et más, con obstages de gentes en Tudela por cierto tiempo; de los quales castiellos, el castiello de Estella había de tener et lo tuvo Remiro d'Arellano (3) en nombre del rey de Castiella a las espensas del rey de Navarra. Esto fecho, el dicho don Henrrich, el qual había su fijo con sí, a[5] todos los nobles de su regno los fizo iurar et tomar por rey et a cabo de un mes morió; et su fijo tuvo la paz segunt los tractos (4).

[72]. Depués, pasada la guerra, el sennor de Assiayn hovo segurança a venir a responder a Arnaut Remon, fillot d'Agramont, sobre ciertas maneras de palabras toquantes la persona del rey et su muert (1); et cortes fechas en el palacio del Obispo de Pamplona in anno Mº CCCº LXXXº, dichas sus razones cada uno

---

[71]. [1] se guardo, BCD.—[2] La Goardia, BCD.—[3] Esteylla, BCD.—[4] el rey de Castiella... el rey de Castiella] om. BCD.—[5] a] om. A.

2. Carlos II acudió a Santo Domingo de la Calzada en el mes de mayo pero no pudo entrevistarse con Enrique II de Castilla, gravemente enfermo, que murió pocos días después. No obstante firmó un nuevo acuerdo con don Juan, obispo de Sigüenza y canciller mayor de Castilla, el 24 de mayo (CASTRO, *Carlos III*, pág. 96, y LACARRA, *Hist. de Nav.*, III, pág. 133.

3. Remiro de Arellano era merino de las tierras de Estella desde 1368 y aparece también como capitán en Logroño en 1370 (*Catálogo*, VII, 120 y VIII, 25). En 10 de mayo de 1379 ya le había sido confiada la guarda del castillo de Estella, junto con el de Belmerches y el de Zalatamor; por todo ello empieza a recibir a partir de esta fecha 500 libras mensuales de manos del rey de Navarra (*Catálogo*, XII, 741, 1.045, 1.191 y 1.210).

4. El 11 de julio de 1379, en Burgos, Juan I ya rey de Castilla, juraba ante los procuradores de Carlos II la observancia del tratado acordado por su padre, y ocho días después, el rey de Navarra ratificaba el mismo tratado en Olite (*Catálogo*, XII, 925 y 946).

[72]. 1. Arnaut Remón, señor de Camer o de los Cameros, era hijo primogénito de Arnaut Remon, señor de Agramont e intervino activamente en la guerra con Castilla, en 1378, al servicio del rey de Navarra, según ha quedado constancia en la documentación de estos años (*Catálogo*, XI, 397, 401, 525, 572, 661, 673; XII, 71, 80, 308, 330, 855, 886 y 982). Tras el incidente con el señor de Asiaín obtuvo el perdón del rey de Navarra y el 9 de marzo de 1380 aparece recibiendo 100 libras de carlines prietos que se le adeudaban por sus gajes del tiempo de guerra (*Catálogo*, XIII, 112, 275, 361, 410 y 435).

por su boca en presencia del rey et el alcalde del mercado de Pamplona, a sus piedes en Cortes Generales, a probar cada uno su entención, lis fue otorgado el campo [1] de batalla (2); et pasado el tiempo, segunt fuero, vinieron en campo en el castiello de Pamplona, cada uno de su part, presente [2] el sennor rey; et fechas las iuras d'ellos segunt fuero, el sennor de Agramont fizo caballero a su hijo. Depués, fueron tantas las rogarías de los estados que la batalla cesó, fincando al rey por ordenar a su merced d'ellos; el dicho fillot d'Agramont fue levado preso en el castiello de San Iohan et el sennor de Assiayn en el castiello de Tafalla do fueron por spacio de meyo anno (3); et conteció que IIIIº [3] companneros de Andreu [4] Dehan, alcayt de Tafalla, fueron traydores falagados por el sennor de Assiayn, los quales eran de Picardia, et con el sennor de Assiayn se alcaron en el dicho castiello; ligaron en una cambra al dicho alcayt et non lo quiso matar el dicho sennor de Assiayn; et luego fue soppido et echado apellido por toda la tierra et el setio fue puesto delant; et fueron tomados por fuerca a cabo de tres dias porque el uno d'ellos se repentió et fizo traycion a los otros traydores, sus companneros, qui fueron con el dicho sennor de Asiaín escabezados en Tafalla, in anno Mº CCCº LXXXº, en el mes de ienero. Depues a tiempo, el dicho fillot d'Agramont fue sacado fuera de presión.

[73]. Item en el anno Mº CCCº LXXXIIº, en el mes de noviembre, el dicho infant de Navarra don Carlos, primogenito, fue relaxado en Francia a venir en Castilla a su muger donna Leonor,

---

[72]. [1] campo de batalla... vinieron en campo] om. CD.—[2] delant, BCD.—[3] que IIIIº] om. BCD.—[4] Andra,BCD.

2. Entraron en campo de batalla antes del 20 de agosto de 1379 (Catálogo, XII, 1.043; XIII, 34, 191 y 428).

3. Los sucesos siguientes se desarrollaron en muy poco tiempo, ya que el 5 de septiembre de 1379, Carlos II ordenaba al recibidor de la merindad de las Montañas, García Lópiz de Lizasoain, que pusiera en su mano todos los heredamientos, pechas, rentas y collazos de Remir Sánchiz de Asiaín y los tuviera en buena guarda y administración; asimismo le ordenaba que, de dichos bienes, pagara sus jornales a los mazoneros y jornaleros que trabajaban en minar y derribar la torre de Asiaín (Catálogo, XII, 1.092). El 20 de enero de 1380 Carlos II premiaba a Martín Xeméniz de Arazubi por sus buenos servicios en recobrar la torre del castillo de Tafalla, donde se había alzado el señor de Asiaín con otros compañeros (Catálogo, XIII, 25) y el 10 de febrero eran confiscados todos sus bienes por el rey (Catálogo, XIII, 535). No obstante, en fechas posteriores, el rey favoreció a su viuda Juana Enríquez de Lacarra, con algunas donaciones (Catálogo, XIII, 199, 218, 337).

hermana del rey don[1] Iohan, et servir al dicho rey; et a la Pasqua de Nadal seguient, veno veer a su padre en Navarra a Pamplona, do fueron grandes alegrías por veer uno a otro, et non sin causa (1).

[74]. Depués se fue en Castiella a servir al dicho rey don Iohan en su guerra de Portugal et al setio delant Blixebona[1] (1). Depués el dicho infant de Navarra, con gran compannya de navarros, bretones et castellanos, fue correr por el regno de Portugal et quemar la tierra; et en tanto que el no era tornado, el maestro[2] de Aviz, que habían levantado por su rey los portogaleses, veno al logar de Gibarrota, cerca de Santarén[3], do estaba el rey de Castilla; et sin sperar al dicho infant de Navarra, qui era a una jornada et meya et yba al dicho rey de Castilla, los castellanos dieron la batalla et fueron vencidos et assí como muertos todos en el campo, in anno M° CCC° LXXXV°, vigilia de Sancta María de agosto (2), et si hobiesen esperado al dicho infant de Navarra con las gentes de su compayna, la batalla no había de ser perdida. Et luego el rey de Castiella, qui era en Santarén[4], se fue por mar a Sevilla do el dicho infant de Navarra veno a el confortar; et y fizo cortes el dicho rey (3). Depués, tornado[5] en Castiella, et como fuese a Peynnafiel[6], venieron nuevas al dicho infant de Navarra que su padre era muerto en el palacio del

---

[73]. [1] don] *om.* D.
[74]. [1] Vlixebona, BCD.—[2] maestre, BCD.—[3] Sanctaren, A.—[4] qui era en Santaren] *om.* BCD.—[5] tornaron, BCD.—[6] Peynafiel, BCD.

[73]. 1. El viaje del infante Carlos se inició el día 1 de octubre de 1381, según consta en un documento del 28 de diciembre de 1382 dado en Almonassier por el mismo infante (*Catálogo*, XIV, 409). CASTRO, *Carlos III, el Noble*, págs. 80-81, sigue el itinerario del Príncipe en su viaje de regreso a Navarra. El reencuentro con su padre, Carlos II, tuvo lugar el 9 de diciembre en Caparroso, desde donde se trasladaron a Olite. El 24 hizo su entrada en Pamplona.

[74]. 1. Acerca de la colaboración prestada por el infante Carlos de Navarra a su cuñado Juan I de Castilla, en la guerra con Portugal, véase CASTRO, *Carlos III*, págs. 107-114. El infante permaneció en el sitio de Lisboa desde el 14 de abril hasta el 30 de septiembre.

2. La batalla empezó exactamente la tarde del 14 de agosto; sobre su desarrollo, véase SUÁREZ FERNÁNDEZ, *Historia de España*, dirigida por Menéndez Pidal, t. XIV, págs. 257-8.

3. Estas cortes tuvieron lugar en Valladolid, en diciembre de 1385 y como consecuencia de ellas se firmó con Navarra el tratado de Estella (1386) que revocaba el anteriormente tomado en Briones. Las cláusulas principales de este tratado en LACARRA, *Hist. de Nav.*, t. III, pág 149.

Obispo en Pamplona, primera noche de ienero, anno M° CCC°
LXXX° VI° (4), bien ordenado de sus sacramentos.

[75]. Empero otra fortuna contecio al tiempo que enfermo
el rey, es a saber: que la comuna de Pamplona se levantó contra los burgeses sobre las tacxas de las echas; et por evitar a mayor inconvenient, seyendo el dicho rey enfermo, en la qual duro
por XXII dias, fue fecha iusticia por la cort, de Andreu[1] de Tu-
rrillas et tres[2] otros qui fueron escoarterados et otros muchos
imbiados a presones en muchos castiellos por castigo (1). Et es de
notar aquí como grant danno et dolor es la división del pueblo.

[76]. Muchas otras fortunas hovo este rey de Navarra defuncto en su vida que el scrivano non pone aqui por non dar
enuio a los qui leyeren; todas las quales fortunas, por virtut de
grant paciencia, él sostivo en su tiempo et fue buen cathólico.

[77]. D'este rey don Carlos et de la reyna donna Iohana por
buena honestat, el escripbano deste libro quiere fazer mención de
la noble[1] generación dellos. Primo hovieron fijo primogénito don
Carlos (1) qui nació en la villa de Mante[2] en Francia, sobre el
rio de Sena[3], la qual villa estonz era dellos, anno Dómini M°
CCC° LXI°[4]. Item ovo fijo nacido en Pamplona, nombrado don
Philip (2), et morió chico. Item otro fijo nacido en Evreux, anno
Dómini M° CCC° LXVI°, en el çaguero dia de março, don Pedro

---

[75]. [1] Andrea, BCD.—[2] tras, BCD.
[77]. [1] noble] *om.* BCD.—[2] Monte, D.—[3] Sanna, D.—[4] M° CCC° LXII°, A.—
[5] Mortaygan, BCD.—[6] oviron. Item, A.—[7] Gillos, BCD.—[8] 1450, CD.

4. Sigue el cómputo de la Encarnación que corresponde a 1387.
[75]. 1. Corrobora la veracidad de esta noticia un documento fechado en
   Puente la Reina el 1 de febrero de 1387, por el cual Carlos III or-
   dena a los oidores de Comptos que reciban en cuenta y deduzcan
   de la recepta de Jehan le Roux, comisario de su cámara de los dineros, 50 libras que entregó a Pedro García de Aniz, capitán de
   la villa de Viana, en deducción de lo que podía serle debido por
   sus gajes y los de sus compañeros en el tiempo que estuvieron en
   Pamplona, en el pasado mes de diciembre, para ejecutar cierta justicia que Carlos II mandó hacer en dicha villa (*Catálogo*, XVI, 630).
[77]. 1. El primogénito Carlos, futuro Carlos III, nació el 22 de julio de
   1361 y casó con la infanta Leonor de Castilla, el 27 de mayo de
   1375 en Soria.
   2. Felipe, el segundogénito nació en los primeros días de diciembre de
   1363, pero murió poco después al caer de una ventana de los brazos
   de su nodriza María Xeméniz (ALESÓN, *Anales*, 1, XXX, t. V,
   pág. 304).

(3), dicho en frances mossen Pierres de Navarra, comte de Mortaygn [5] en Normandía. Item ovieron fijas: donna María (4) qui nasció en la Puent de la Reyna, et al tiempo d'este libro ya era comtesa de Denia en Cataluynna, mujer de don Alfonso de Denia. Item fue otra duenna nombrada Blanqua (5) qui morió en Ollit en edad de XIIII annos. Ovieron item [6] otra duenna nombra-

---

3. Parece que nació en el mes de abril, véase nota [58] 2. Estuvo casado con Catalina de Alensón y pasó casi toda su vida en Francia, donde fue un eficaz colaborador de su hermano Carlos. Según ALESÓN, *Anales*, VI, pág. 209, murió el 29 de julio de 1412, en Sancerre.

4. Había nacido ya el 16 de enero de 1366, cuando se nombra a Jacques Argonel como administrador de su hostal (*Catálogo*, VI, 87). El 26 de enero de 1392, Alonso de Denia, primogénito de Alfonso, marqués de Villena y conde de Denia, solicitó personalmente de Carlos III la mano de su hermana (*Catálogo*, XIX, 59). Y, efectivamente, el mismo día, en Tudela, se concertaba el casamiento: María, infanta de Navarra, renunciaba a todo lo que le pertenecía o pudiera pertenecerle de los bienes de sus padres y, a cambio, Carlos III le ofrecía como dote 30.000 florines de Aragón, pagaderos en 6 años (*Catálogo*, XIX, 60; XXI, 1.309).

   Sin embargo, el matrimonio no se había celebrado todavía en 1.396. El 1 de julio de ese año, el marqués de Villena escribía a Carlos III comunicándole que por causa de la muerte del rey de Aragón, no podría asistir la reina a las bodas de la infanta como estaba previsto, y le rogaba que enviara un caballero a Zaragoza, donde él enviaría otro, para tratar este asunto (*Catálogo*, XXI, 886). Carlos III envió entonces a Zaragoza a su consejero Laurens de Reta, alcalde de la Corte, acompañado por el abad de Oteiza, su secretario, para hacer los contratos matrimoniales de María con el hijo del marqués de Denia. El viaje duró 28 días y Laurens de Reta recibió para sus gastos 60 florines (*Catálogo*, XXI, 955, 1.125). Sin embargo, en noviembre de 1396, Laurens de Reta, como licenciado de decretos, regresa a Aragón, acompañado de Mono de Casino, ujier de armas de Carlos III y de Juan Amicx el joven, notario apostólico, a fin de concertar nuevos capítulos matrimoniales que se firman el 15 de diciembre en Villafranca del Panadés (*Catálogo*, XXI, 1.305, 1.366). Finalmente, la infanta partió de Pamplona para Denia, el 9 de mayo de 1397; le acompañaban el caballero Martín de Aibar y Pero Martínez de Erespuru, abad de Aibar (*Catálogo*, XXII, 498, 730 y 1.071).

5. Pocas noticias nos son conocidas acerca de esta infanta. Había nacido antes de 1369, según se desprende de un pago efectuado a García de Beunza por 24 codos de paño para vestir a esta infanta y a la primogénita María (*Catálogo*, VII, 477). Meses después, en Olite, el 24 de abril de 1370, la reina Juana de Navarra concedía a María García 15 libras de carlines blancos anuales, asignados sobre la pecha de Peralta, por sus buenos servicios como nodriza de su hija Blanca (*Catálogo*, VIII, 139). Su desaparición en la documentación coetánea nos confirma su muerte prematura como señala el cronista.

da Iohanna (6), que fue casada con el duch Iohan de Bretanna, anno Dómini Mº CCCº LXXXº Vº, et partió por mar a yr en Bretanna el primero dia de septiembre, la qual ha obido de su sennor bella generación de quatro fijos: Iohan, qui agora es duch, Artuch, Gilles[7] et Ricart, et tres fijas. Muerto el marido, el duch de Bretanna don Iohan, la dicha donna Iohana duquesa fue casada et es a present a la scriptura d'este libro, en el anno Mº CCCCº Vº[8], con el rey de Anglaterra don Henrrich, fijo de don Iohan duc de Lencastre, fijo del rey Edoart. Et aquí por abreviamiento non plus d'ellos. A los vivos Dios les de buena vida et larga et a los otros paradiso.

[Carlos III].

[78]. Item a este rey don Carlos, IIº del nombre, subcedió don Carlos su fijo, de suso nombrado, qui empeçó a regnar en el XXVIº anno de su edat; el qual era en Castiella en la villa de Peynafiel con el rey don Iohan de Castiella, hermano de donna Leonor, muger del dicho don Carlos, fijos de don Enrrich rey de Castiella (1); et como el dicho rey don Carlos moriese primera noche de ienero, anno a Nativitate Dómini Mº CCCº LXXX VIº, su dicho fijo entro en su regno, en la villa de Viana, el dia de Sancta Agnes, XXVIIIº dia del dicho mes (2); toda vez non fue coronado

---

6. Fue la quinta hija de Carlos II y nadió en Francia en 1369. Al mórir su madre en Evreux contaba sólo 4 años de edad y se trasladó a Navarra con su padre. Casó en primeras nupcias con Juan IV, duque de Bretaña, de Monfort y de Richamon. El matrimonio se realizó en Bayona y fue bendecido por el abad de Monreal, Pierres Godeille, ante los procuradores del duque de Bretaña; poco después, en Seilli, cerca de Guerande, el 11 de septiembre, tuvo lugar el matrimonio defenitivo. Acerca de la dote, J. ZUNZUNEGUI, *El matrimonio de la infanta Juana con el duque de Bretaña* («Príncipe de Viana», 1943, págs. 51-68) estudia las dificultades de Carlos II para recaudarla y los procedimientos empleados para ello.

    Después, viuda del duque de Bretaña, casó con Enrique IV de Inglaterra.

[78]. 1. A la muerte de su padre y hasta su llegada al reino de Navarra, gobernaron el reino fray García de Eugui, obispo de Bayona y confesor de Carlos II, y Carlos de Beaumont, alférez del reino, hijo natural del infante Luis y María de Lizarazu (CASTRO, *Carlos III, el Noble*, pág. 123).

2. Entró en Navarra el día 21 de enero que corresponde a la festividad de Santa Inés, como afirma el cronista, aunque confunde el día, ya que hay dos días en este mes dedicados a la Santa. CASTRO (*Carlos III*, pág. 123) afirma que el 24 estaba ya en Los Arcos, y por otro documento del 29 de enero de ese año sabemos que dicho día 10 pasó en Estella (*Catálogo*, XVI, 625).

ata el domingo XIII° dia de febrero, anno Dómini M° CCC° XC°; fue untado por el obispo de Pamplona don Martín de Calva (3), et luego el papa lo fizo cardenal, presentes el reverent padre don Pero de Luna cardenal de Aragón et legado de papa Clement VII°; et muerto el papa, fue fecho papa[1] el dicho don Pero de Luna (4); et los obispos de Taraçona et Dacx (5) levaban al dicho rey et muchos otros nobles hombres; et la tarza de su coronamiento fue asi alargada porque en tanto él procuró del rey de Castiella don Iohan, la deliberança de los castiellos de Tudela, Sanct Vicent, La Guardia, Estella, Miranda et Lerraga, los quales eran en rahenas (6), como de suso es dicho, en mano del dicho rey de Castiella, et poner su regno en stado qui por las guerras sobredichas era todo desolado.

[79]. Item el dicho don Carlos, III° deste nombre, ovo otros quefazeres por la delibranca del castiello et villa de Chireborg, que tenían en peynos los ingleses in anno M° CCC° LXX° VII°, en el tiempo del rey don Carlos el II° defuncto, por la guerra qui estonz fue fecha al dicho Carlos en sus tierras de Francia et Normandía et en Navarra; et fueron embiados mensajeros por el dicho don Carlos III° al rey Ricart d'Anglaterra por procurar la dicha delibranca, mossen Charles de Beaumont[1], alfériz (1),

---

[78]. [1] fue fecho papa] *om.* D.

3. Don Martín de Zalba fue obispo de Pamplona desde el 16 de diciembre de 1377 por nombramiento de Gregorio XI. Carlos III, después de su coronación, solicitó para él del papa Clemente VII la púrpura cardenalicia, que le fue concedida unánimemente por todos los cardenales, el 23 de julio de 1390. Sobre su actuación en el obispado, véase Goñi Gaztambide, *Los obispos del XIV,,* págs. 309-381.

4. El cardenal, Pedro de Luna, presente en la ceremonia, fue elegido papa de Aviñón, el 26 de septiembre de 1394 (Goñi Gaztambide, *Los obispos del XIV,* pág. 345).

5. Era obispo de Tarazona, Pedro, y de Dax, Juan Beauffes (Goñi Gaztambide, *l. c.,* p. 335).

6. Los castillos de Tudela, San Vicente y Estella, en rehenes del rey de Castilla, fueron recuperados en agosto de 1387 gracias a las gestiones realizadas en Castilla por Remiro de Arellano, en nombre del rey Carlos III. El castillo de Laguardia, así como el de Miranda y Larraga, ya habían sido entregados anteriormente, a raíz de las capitulaciones de Estella, en 1386. Todos los detalles de este tratado en Castro, *Carlos III,* págs. 103-105.

[79]. 1. Fue nombrado alférez del reino en 1379 por su tío Carlos II que le confió la castellanía de San Juan de Pie del Puerto. Carlos III le nombró nuevamente para el cargo el 22 de septiembre de 1387, señalándole como gajes cien mesnadas anuales de 20 libras cada una, es decir, 2.000 libras. Castro, *Carlos III,* págs. 463-468, estudia con

et mossen Pere Arnaut de Garro (2), et con ellos mossen Martín Enrríquiz de Lacarra[2], marichal de Navarra (3), con cierto nombre de gentes; el qual rey d'Anglaterra delibró al dicho alferiz los dichos castiellos et villa de Chireborg en noviembre, anno ab Incarnatione Domini M° CCC° XC° III°, et de Inglaterra el dicho alferiz imbió a Chireborg a los dichos marichal et mossen Pere Arnaut[3] de Garro con los mensajeros d'Anglaterra; el primero dia de diziembre seguient, fue delibrado Cherbourg a los dichos marichal et mossen Pere Arnaut de Garro, et los ingleses se fueron (4); el dicho marichal finquó capitán ata noviembre, anno a Nativitate Dómini M° CCCC° III°, que mossen Leonel, hermano[4] bastart del dicho rey de Navarra, fue capitan a Chireborg (5); et el dicho marichal se fue a París a servir a su sennor el rey de Navarra, qui en deziembre seguient fue a París requerir segunda

---

[79]. [1] Beamont, BCD.—[2] Henrriquiz de Lacharra, BCD.—[3] Arnant, BCD.—[4] Leon el hermano, BCD.—[5] fuera] om. BCD.—[6] noviembre, BCD.

detalle todas las misiones diplomáticas y guerreras que llevó a cabo durante ambos reinados.

2. Pere Arnaut de Garro era chambelán del rey Carlos II desde 1381 y recibió de él numerosos donos: en 1384 poseía ya de dono vitalicio las rentas, emolumentos y provechos de las cinco villas de Lesaca y Vera, de los molinos, lezda de las ferrerías de dichas cinco villas y de las ferrerías de Amizlarrea y de las otras montañas; y en mayo de 1385, le concede además las casas que el rey poseía en la Navarrería de Pamplona, delante del Chapitel, para que las disfrute durante su vida sin pagar tributo alguno (*Catálogo*, XIII, 570; XV, 550 y 887). Carlos III siguió utilizando sus servicios en misiones diplomáticas y le confirmó, asimismo, los donos que tenía del tiempo de su padre (*Catálogo*, XVI, 1.421 y 1.422). Más tarde le nombró maestro de su hostal, cargo que ya tenía en octubre de 1395 (*Catálogo*, XXI, 387).

3. Martín Enríquez de Lacarra fue nombrado mariscal por Carlos III el 26 de mayo de 1389, y le dio todas las rentas que el rey tenía en Ablitas, confiándole la guarda del castillo. Pasó a ser capitán de Cherburgo durante 10 años al recuperarse la plaza; y, al cesar en dicho cargo, se le nombró merino de las tierras de Estella. Otros detalles sobre este personaje, en CASTRO, *Carlos III*, págs. 489-493.

4. La Crónica sigue fielmente los acontecimientos: la devolución fue acordada exactamente el 23 de noviembre y la entrega se efectuó el 1 de diciembre. Martín Enríquez de Lacarra entregó a los ingleses, en nombre del rey de Navarra, 25.000 francos que constituían la suma del empeño. Todas las gestiones realizadas hasta lograr la devolución en CASTRO, *Carlos III*, págs. 136-141.

5. Leonel era hijo natural de Carlos II y de Catalina de Lizaso, hija de Yenego Sanchiz, abad de Lizaso. Fue armado caballero por Carlos III el día de su coronación y durante todo su reinado le colmó de honores y mercedes (CASTRO, *Carlos III*, págs. 468-475).

vez la delibranza de sus tierras que fueron de su padre et de su madre la reyna donna Iohana, fija del rey Iohan de Francia; asi fue Chireborg, depués que fue fuera[5] de los ingleses, X annos en nombre[6] del rey de Navarra.

[80]. El rey fue en Francia por requerir sus tierras, anno Dómini M° CCC° XC° VII°, en el mes de iunio, et por la enfermedat del rey de Francia non delibro res et se tornó a Navarra por Sanct Miguel, XC° VIII° (1). Et del II° viage en deziembre anno Dómini M° CCCC° III° (2), ovo de tomar tracto del rey et consello de Francia et li fue mudado su nombre de comte d'Evreux[1] et fecho duc de Nemourx[2] a renta de XII^m libras venientes, asignadas en las partidas de Campannya[3] et Bría, como por las letras del tracto, dadas en París IX° dia de iunio anno a Nativitate Dómini M° CCCC° IIII°, es contenido. Las quales letras a la escriptura d'este libro en el anno CCCC° V° no eran venidas en Navarra; et por el dicho tracto, el dicho rey de Navarra rendió Chireborg al rey de Francia et fue fuera de las tierras de su padre (3).

[81]. D'este rey et reyna, a qui Dios de buena vida por buena honestat, el escribano d'este libro quiere fazer mención de la

---

[80]. [1] Vreux, BCD.—[2] Nemoux, A.—[3] Campayna, BCD.

[80]. 1. El cronista retrasa unos días el primer viaje del rey a Francia, que inició en mayo de 1397, abandonando su reino exactamente el 29 de este mes, y regresando a Navarra en septiembre del año siguiente. Todos los detalles de este viaje en CASTRO, *Carlos III*, págs. 233-245.

2. Garci López presenta también un pequeño margen de error, de pocos días, en el segundo viaje del rey a Francia. En esta ocasión, Carlos III entró en tierras de la soberanía de Francia el 22 de noviembre. Parece un fallo de precisión en la memoria del cronista, ya que él mismo formaba parte de su séquito y el 4 de diciembre, en Burdeos, recibía su nombramiento como tesorero. Todo el itinerario en CASTRO, *Carlos III*, págs. 310-312, que describe a continuación todas las cláusulas del tratado de París.

3. Según CASTRO, la cesión de Cherburgo a Francia no tuvo lugar dentro del citado tratado, aunque se realizó en el mismo día, mes y año, pero por distinto medio y manera: Cherburgo fue cedida a cambio de 200.000 libras tornesas (*Carlos III*, pág. 315). En el tratado de París de 1404, Carlos III renunciaba en favor del rey de Francia a cuantos derechos tuviera o pudiera tener por parte de sus padres, tanto en el condado de Champagne y sus pertenencias como en ciertas villas y castillos del condado de Evreux y de Avranches, y a cualquier otra tierra que pudiera poseer en Francia, a excepción de la villa, castillo y castellanía de Cherburgo que cederá al rey de Francia, por distinto medio y manera (CASTRO, *Carlos III*, págs. 313-14).

grant et noble generación d'ellos. Primerament ovieron donna Iohana qui es a present casada con don Iohan de Foix[1], fijo primero[2] de don Archanbaut[3] et de[4] donna Ysabel, conte e comtesa de Foix (1). Item[5] otra duenna nombrada María que morió en tiempo oviada[6] por casar e iaze en Pamplona (2). Item otra duenna nombrada donna Blanca, et como es el nombre, Dios li ha dado bondat et beldat si ninguna christiana real lo ha, la qual fue casada por procurador con don Martín, infant solo et heredero d'Aragon, rey de Sicilia[7], fijo de don Martín rey de Aragón, en el logar de Cortes, el dia de Sant Sebastián, XX° dia de ienero, anno Dómini M° CCCC° II° (3); en el cual logar de Cortes se plegaron los dichos reyes, et d'allí levó el rey de Aragón a su nuera por embiar en Sicilia a su marido. Item ovieron otra duenna nombrada Beatriz que depues ha seydo casada con el conte de la Marcha, don Jacques de Borbón, de los cuales las bodas fueron en Pamplona, el dia de Sancta Cruz en septiembre, anno Dómini M° CCCC° VI° (4). Item otra fija iovena nombrada donna Ysabel de edad de nueve annos (5), que es prometida ser muger en Castiella, del fijo del infant don Ferrando, fijo del rey don Iohan,

---

[81]. [1] Fox, A.—[2] primero] *om.* BCD.—[3] Archenbaut, B; Anchenbaut, CD.—[4] et de] en, BCD.—[5] (Item) ovieron] *add.* BCD.—[6] oviada] *om.* BCD.—[7] Scicillia, A.

[81]. 1. Juana había nacido en Barajas, el 9 de noviembre de 1382, y casó con Juan de Foix, vizconde de Castelbó, primogénito de Arquimbaldo de Grailly y de Isabel de Foix, condes de Foix, el 15 de mayo de 1402. La ceremonia religiosa tuvo lugar en Olite, el 2 o 3 de diciembre. Acerca de las capitulaciones matrimoniales, CASTRO, *Carlos III*, pág. 295. Otras noticias sobre esta infancia, *l. c.*, 167-170.

2. María nació hacia 1383-1384 y murió en Olite, el 6 de enero de 1406. Fue enterrada en Santa María de Pamplona, en la sepultura que mandó hacer el rey Felipe de Evreux, juntamente con sus hermanos Carlos y Luis, véase CASTRO, *l. c.*, págs. 170-172.

3. La entrega de la infanta Blanca al rey de Aragón antes de su traslado a Sicilia, tuvo lugar el 21 de enero. Los esponsales se celebraron en Catania, el 21 de mayo del mismo año, actuando como procuradores de la infanta, Leonel de Navarra y Martín de Baquedano. CASTRO, *l. c.*, págs. 250-280, estudia con detalle toda la documentación que hace referencia a este enlace matrimonial.

4. Beatriz había nacido en 1386 y fallecía poco después de su matrimonio con el conde de la Marca, en diciembre de 1407 en Olite. Acerca de los preparativos y las capitulaciones de este enlace, véase CASTRO, *l. c.*, págs. 328-332.

5. Isabel, efectivamente, había nacido el 13 de julio de 1396 en Estella, pero el matrimonio concertado con el infante castellano Juan, segundogénito del infante Fernando de Castilla, no llegaría a tener efecto, no obstante haberse iniciado las negociaciones en 1402.

hermano de la dicha reyna de Navarra. A los que son vivos Dios lis de buena vida.

[82]. Item empues estas duennas ovieron fijo don Carlos, qui nasció[1] en Pamplona el çaguero dia de iunio, anno Dómini M° CCC° XC VII°, vivio por V° annos. Item otro fijo fue nascido en Ollit, nombrado don Loys, qui morió environ de meyo anno; de los quales Dios quiso ordenar et morieron los dos en el castiello de Stella[2], primero el infant don Loys (1), depues don Carlos, el XII° dia de agosto, M° CCCC° II. Dios sabe qual dollor[3] fue del padre et de la madre et de todo el reyno. Fueron soterrados en Sancta María de Pamplona, en la sepultura de su bisaguelo el rey Philip (2).

[83]. Aquí podemos notar grant piedad et fuert aventura al regno, que depués, en el anno Domini M° CC° LXX°, que don Enrrich rey de Navarra fue rey, un fijo solo que habia pequenno, como de suso es dicho en la capítula del dicho don Enrique, morió en el dicho castiello de Stella (1); et en Navarra depués primogénito fijo de rey non nasció sino el dicho don Carlos, qui en el anno M° CCCC° II° morió en el dicho castiello (2).

[84) En este[1] don Carlos el III° del nombre[2], qui Dios mantenga en luenga et[3] buena vida, el escripvano fizo fin de su escriptura. Del qual rey, segunt el uso es de poner en cada primero compto de qualquiere thesorero, el traslat de la carta que fizo el rey a su coronamiento es escripta de suso en seguyent por concordar al prólogo qui faze mención de suso como, segunt fuero, los reyes deben iurar los fueros; assí bien que sea sopido ata aquí, quantos reyes han seydo en Navarra uno empués otro et donde son descendidos depues la era de DCC[os] et dos, porque a cuydar de hombres non será fallado assi clarament, et qui non lo sabía, leyendo este libro, el escripvano tiene que habrán plazer. Et protesta el escripvano que si alguna error se fallaba, non li sia imputado a mal car a entención buena ha tomado la pena, et a

---

[82]. [1] qui nascio] *om.* BCD.—[2] Steilla, B; Esteilla, CD.—[3] dello, A.
[84]. [1] En este] Este, A.—[2] noviembre, A.—[3] en luenga et] *om.* BCD.—[4] (ninguno) si] *add.* A.

[82]. 1. El infante Luis, nacido el 20 de diciembre de 1399, murió en el mes de julio de 1400.
    2. Cfr. *Catálogo de Comptos*, XXVI, 768.
[83]. 1. Ver pág. 39, nota 3.
    2. Ver pág. 82. Había sido jurado como sucesor en Olite, el 27 de noviembre de 1398. Toda la documentación conservada de este infante ha sido estudiada por CASTRO, *Carlos III*, págs. 177-182.

la correpción debida eil se sozmete, car ninguno[4] no es perfecto sino Dios.

[85]. Aqui el scribano faze la fin de su obra rendiendo devotament a Dios gracias e a los de iuso contenidos dizir muchas merces del plazer que li han fecho. Et primeramente riende merces al[1] honorable religioso, prior de Sancta María de Pamplona, don Martín de Hussa[2] (1) con todo el capitol, los quales graciosament li emprestaron las cróniquas de los Sanctos Padres los Papas, que escribió Tholomeo[3] (2), en las quales faze mencion de muchas incidencias de los reyes d'Espanna et de otras partidas; et assi bien li emprestaron las Croniquas de Spanna que scribió don Rodrigo arcobispo de Toledo (3). Item riende[4] merces a don fray Burgo, lector de los Predicadores a Pamplona, qui li[5] emprestó una partida de las cróniquas del Vicencio Ystorial (4). Item riende merces a los hondrados conseilleros del rey et oydores de sus comptos, Iohan d'Athaondo[6] et Pero García d'Eguirior (5), qui li emprestaron una buena cróniqua del dicho Iohan et los dos fueros generales (6), en los quales faze mención como los reyes deben iurar a sus pueblos en sus elevaciones, et assí bien en los dichos fueros a la fin faze mención de algunas ystorias de los reyes qui han[7] seydo (7). Item riende merces al hondrado Miguel Laceilla, burgés del[8] burgo de Sanct Saturnín et por tiempo iurado de la villa, el qual emprestó al dicho escripvano cierta porción de cróniquas de la Iurería, tocantes los reyes (8). Item

---

[85]. [1] al] del, A.—[2] Martin de Ussa, BCD.—[3] Tolomeo, BCD.—[4] rien, BCD.— [5] qui li] car le, BCD.—[6] D'Athondo, A.—[7] han] om. BCD.—[8] burgues del] burgos en el, A.—[9] Dechari, BCD.

[85]. 1. Martín de Eusa ocupó el cargo de prior desde 1392 hasta 1414. Acerca de su actuación, véase GOÑI, *Los obispos de Pamplona del s. XV* («E.E.M.C.A.», VII, 1962, pág. 367).

2. *Historia Ecclesiastica a Nativitate Christi usque ad annum circiter MCCCXII*, de PTOLOMEO FIADONIBUS o LUCENSIS.

3. XIMÉNEZ DE RADA, *De Rebus Hispaniae.*

4. *Speculum Historiale*, de VICENTE DE BEAUVAIS.

5. Juan de Athaondo fue nombrado consejero y oidor de los Comptos por Carlos III el 1 de diciembre de 1400 en Pamplona y Pedro García de Eguirior, dos años después, el 1 de abril de 1402 en Olite (*Catálogo*, XXIII, 964 y XXV, 139).

6. *Fuero General de Navarra*, ed. ILARREGUI.

7. Son unos anales redactados en latín desde García de Nájera (1054) hasta Enrique I (1274). Han sido editados por UBIETO con el título de *Coronicas Navarras.*

8. Entre ellas posiblemente la *Canción* de Guillermo de Anelier (véase LACARRA, *Hist. de Nav.*, II, pág. 222). Sobre Miguel Laceilla, véase la nota 37 del Estudio, pág. 38.

riende merces al hondrado Simón de Echarri[9] (9), burgés que li emprestó una porción de cróniquas que dize que fueron del cardenal de Pamplona, don Martín de Zalba.

[86]. El dicho scribano, por las dichas cróniquas et ystorias tomando a su propósito lo que li fazía menester, ha fecho su obra sobredicha ata el rey don Carlos defuncto el II° et XXI° reyes. Et del dicho rey, el dicho scribano ha hobido ciertos memoriales escriptos et información de Miguel des Mares[1] (1) qui fue clérigo del dicho rey defuncto, a qui Dios perdone, por XXIII annos, et del rey que agora regna, que Dios mantenga, es guarda de la Tor en Pamplona[2] do es la guarda roba del rey et muchos de sus libros; et al tiempo d'esta scriptura lo había servido ultra del tiempo del padre XIX annos; al cual Miguel como a los otros, el dicho escribano riende merces del plazer que li ha fecho.

[87]. Nota aqui que por saber brevement sin estudiar de suso, es escripto adelant, empues la iura del rey que fizo a su pueblo, do dize: Nota, como el contado de Campannya en Francia veno al regno de Navarra (1). Item, como Navarra fue al rey de Francia. Item, como Navarra fue separada de Francia (2).

---

[86]. [1] Miguel Dosmares, A.—[2] que Dios mantenga, es guarda de la Tor en Pamplona] om. CD.

9.   Véase nota 39 del Estudio, pág. 39.
[86]. 1.   Miguel des Mares era normando de la ciudad de Carenten y ostentó el cargo de clérigo de la cámara de los dineros del rey en Evreux hasta 1375 en que vino a Navarra al servicio del rey con una pensión anual de 80 libras (Catálogo, X, 830 y XIV, 1.394). En 1383 el rey Carlos II le concedió la pecha de Mendigorría, salvo la parte que tenía asignada la iglesia de Santa María de Pamplona, en consideración a los servicios prestados tanto en Normandía como en Navarra, sumando la asignación 147 libras y 10 sueldos de carlines prietos (Catálogo, XIV, 1.394), Carlos III, en 1387, le renovó en el mismo cargo y le nombró además guarda de su torre de Pamplona; asimismo le renovó la donación que le hizo su padre de la renta o pecha de Mendigorría (Catálogo, XVI, 1.394). En 1394 empieza a aparecer como tesorero interino en ausencia de Martín García de Barasoain (Catálogo, XX, 962) y siguió ejerciendo en dicho cargo hasta el 12 de mayo de 1397 en que ya aparece nombrado tesorero Johan Caritat (Catálogo, XXII, 499). En 1405, se le cita en la documentación como guardasellos del rey y en 1407 como su consejero (Catálogo, XXVI, 331 y XXVII, 671). Poco antes de su muerte que acaeció a primeros de junio de 1410 aparece como maestro de la cámara de los dineros (Catálogo, XXVIII, 231, 340 y L, 944).
[87]. 1.   Hace referencia al phg. 89 y 90 que se insertan a continuación del acta de la coronación de Carlos III.
      2.   Remite al parágrafo 91.

[88]. Coppia de la letra de la iura del rey en su elevación, segunt es usado en Navarra et es ordenança que sea puesta al empieço del primer compto de cada thesorero [1].

In nomine Dei, amen. Per hoc praesens publicum instrumentum cuntis pateat evidenter quod anno a Nativitate Dómini M° CCC° nonagesimo, die dominica, XIII mensis februarii, indictione XIII, pontifficatus sanctissimi in Christo patris et domini nostri domini Clementis divina providencia pape septimi anno duodecimo, postquam illustrissimus princeps et dominus dominus Carolus Dey gratia rex Navarre, comes Ebroicensis, ad sacramentum unccionis et ad solempnitatem coronacionis et elevacionis sue, prelatos, barones, millites, bonas villas et alium populum eiusdem regni Navarre ut in talibus est fieri consuetum ad presentem diem venire mandaverat in ecclesia cathedrali Pampilonensis dicto domino rege personaliter existente et in notariorum nostrorum ac testium infrascriptorum presentia se representarum persone infrascripte. De prelatis videlicet, dominus Martinus Pampilonensis episcopus, dominus Petrus Tirasonensis, dominus Iohanes Aquensis, dominus Iohanes Calagurritanensis, dominus frater Garsias Baionensis, abbas de Yrachio, decanus Tutelle, abbas Sancti Salvatoris Legerensis, abbas de Oliva, abbas de Yrançu, abbas de Fitero, abbas Sancti Salvatoris d'Urdax et prior Sancti Iohanis Iherusalem. De baronibus, dominus Leonelus frater naturalis eiusdem domini regis, dominus Arnaldus Raymundi, dominus de Acromonte, dominus Arnaldus Sancii, dominus de Luxa, dominus Petrus de Laxaga, dominus Martinus de Lacarra marescalus dicti regni, dominus Martinus dominus de Domezain et de Saltu, dominus Iohannes de Bearnio, dominus Remigius d'Areillano, dominus Ferdinandus d'Ayanz, dominus Martinus d'Aybar, dominus Bertrandus de Lacarra et dominus Alvarus Didaci de Medrano. De militibus, dominus Simon Garsie vicecomes de Bayguer, dominus Iohanes de Domezain, dominus Petrus Sancii de Coreilla, dominus Petrus Enecii d'Uxoa, dominus Martinus

---

[88]. [1] Hemos colacionado esta copia del acta de la coronación de Carlos III con el documento original que se conserva en el Archivo General de Navarra, Sección Comptos, caj. 59, n.º 10; y con el fin de presentar fielmente el texto de dicha coronación, hemos creído más conveniente transcribir directamente el documento, evitando así las incorrecciones con que lo han ido desvirtuando los copistas y que no deben ser atribuidas al original de la crónica.

Los manuscritos B B¹ C D no contienen íntegro el texto del acta de la coronación, haciendo constar que es igual al de otros reyes navarros. Dicen textualmente: "In Dei nomine, amen. Per hoc presens publicum instrumentum, etc... Hase proseguir esta jura hasta el fin, como la del rey Carlos tercero, que tienes con las juras de otros reyes, que por ser todas de un mismo tenor, por evitar prolixidad no se puso aqui...".

d'Artieda, dominus Petrus Arnaldi de Garro, dominus Iohanes Gaston d'Uroz, dominus Garsias Remigii de Assiain, dominus Iohanes de Bearnio minor, dominus Petrus Sancii de Liçaraçu, dominus Iohanes Roderici d'Ayvar, dominus Raymundus de Esparça et dominus Petrus Garsie d'Ianiz. Nuncii ac procuratorum bonarum villarum, pro Pampilona, videlicet, pro Burgo et Populacione, Andreas d'Aldaz, Simon Eximeni d'Ayvar, Iohanes de Çalva, Petrus Palmerii, Michael d'Aceilla, Garsias d'Artaxo, Pascasius Cruzati iunior et Michael de Çalva iurati Burgi et Populacionis predictorum; et pro Navarrería civitatis Pampilonensis, Iohanes Garsie de Beunça, Petrus Sancii de Ripalda, Iohanes Petri Chorrocha maior et Michael Petri de Barassoain; pro Stella, dominus Simon de Echeverria alcaldus, Lupus Luppi de Bearin prepositus, Iohanes Sancii et Martinus de Sancta Cruce; pro Tutella, Guillermus d'Agreda, Vincencius de Roncal, Simon de Miraglo et Martinus Garsie don Costal; pro Sangossa, Raymundus de Iaqua et Pascasius d'Iragui; pro Olleto, Petrus Michaellis Barailla et Garsias Carequo; pro Ponte Regina, Michael Eximini d'Olexo et Iohanes Eximini; pro Arcubus, Martinus Petri Ruffi et Garsias Lupisco; pro Viana, Iohanes de Soto et Martinus Gundissalvi; pro Guardia, Iohanes de Cabanis alcaldus et Lupus Egidii minor; pro Sancto Vincencio, Martinus Sancii et Sancius Sancii; pro Sancto Iohane de Pede Portus, Iohanes de Echevelça et Guillermus Arnaldi d'Orti; pro Monte Regali, Martinus Eximini Margam alcaldus; pro villa Roncidevallis, alcaldus; pro Lomberrio, Simon Garsie alcaldus; pro Villafranca, dompnus Petrus Orticii alcaldus; pro Aguilar, Petrus Martini; pro Vernedo, Iohanes Iohanis; pro Lanz, Iohanes Michaelis. Congregatis utique omnibus supradictis et circunstantibus ante maius altare predicte pampilonensis ecclesie videlicet, predicti domini episcopi in pontifficalibus ac alii prelatis quolibet in statu suo existente nec non baronibus, militibus ac nunciis et procuratoribus predictarum bonarum villarum, predictus dominus episcopus Pampilonensis dixit predicto domino regi: Domine noster rex ante quam accedatis ad sacramentum vestre uncionis oportet vos iuramentum prestare vestro populo prout antea predecessores vestri reges Navarre fecerunt et est fieri consuetum et hoc idem populus vobis faciet. Qui dominus rex respondit quod ad hoc paratus erat et in continenti ponens manus suas super Crucem et Sancta Dey Evangelia iuravit populo modo et forma continenti in quadam cedulla scripta in ydiomate Navarre terre prius palam et publice alta voce per Iohanem Eximini Ceilludo notarium infrascriptum, lecta cuiusquidem cedulle tenor continet ista verba.

109

Nos Carlos por la gratia de Dios rey de Navarra, conte d'
Evreux, iuramos a nuestro pueblo de Navarra sobre esta Cruz et
estos Sanctos Evangelios por nos tocados manualmente, es assaber, prelados, ricos hombres, cavailleros, hombres de buenas villas et a todo el pueblo de Navarra ,todos lures fueros, usos, costumbres, franquezas, libertades et privilegios a cada uno deillos,
assi como los han et iazen, que assi los manterremos et goarda-
remos et faremos mantener et goardar a eillos et a lures successo-
res en todo el tiempo de nuestra vida, sen corrompimiento ninguno, meillorando et non apeorando en todo ni en partida, et que
todas las fuerças que a vuestros antecessores et a vos por nuestros antecesores, a qui Dios perdone, qui fueron en lures tiempos,
et por los officiales [qui] fueron por tiempo en el regno de Navarra, et assi bien por nos et nuestros officiales desfaremos et faremos desfazer et emendarlos bien et complidament ad aqueillos a
qui fechos han seido sen escusa ninguna las que por buen drecho
et por buena verdat podran ser failladas por hombres buenos et
cuerdos.

Quo iuramento prestito, accesserunt barones prelibati ad suum
iuramentum faciendum et tactis cruce et Sacro Sanctis Evangeliis quilibet ipsorum unus post allium tam prosequam nomine
predictorum militum ac alliorum nobilium et infacionum tocius
regni iuraverunt modo et forma contentis in cadam cedula ut
superius per dictum notarium lecta cuius cedule tenor talis est.

Nos los barones de Navarra sobredichos, en vez et nombre
nuestro et de todos los cabailleros et otros nobles et infançones
del dicto reyno, iuramos a vos nuestro seynor el rey sobre esta
Cruz et estos Sanctos Evangelios por nos tocados manualment
de gardar et deffender bien e fielment vuestra persona et vuestra
tierra, de vos ayudar a goardar et deffender; et goardar et mantener los fueros a todo nuestro poder.

Acceserunt ecciam nuncii ac procuratores bonarum villarum
supradicti qui similiter tactis Cruce ac Sacro Sanctis Evangeliis
quilibet ipsorum pro se et tanquam nuncii et procuratores
earumdem bonarum villarum vice et nomine conciliorum ac con-
cunitatum cuiuslibet ipsarum iuraverunt prout in cedula que sequitur ut permititur lecta continetur.

Nos los procuradores de las buenas villas sobredichos en vez
et en nombre nuestro et de los vezinos habitantes et moradores
en aqueillas, iuramos sobre esta Cruz et estos Sanctos Evangelios
por nos tocados manualment, de goardar bient et fielment la persona de nuestro seynnor el rey et de ayudar a goardar et deffender
el regno a nuestro poder segunt nuestros fueros, husos, costum-

110

bres, privilegios, franquezas et libertades que cada uno de nos habemos.

Quibus pactis, dictus dominus rex retraxit se ad capellam Sancti Stephani ad infrascripta sibi preparatam et exiuit se ybidem vestibus quibus prius erat indutus et induit se vestibus albis sericis ut est moris in unccionibus huius et tandem fuit ductus per dominos Tirasonensis et Aquensis episcopos prefatos ante altare maius ubi sedebat episcopus Pampilonensis in pontificalibus indutus, sequentibus eum baronibus, militibus et nobilibus aliis. Et sic dictus dominus episcopus Pampilonensis, predictis dominis Tirasonensis et Aquensis, Calagurritanensis et Baionensis, cum eodem assistentibus ad uncionem dicti domini regis, ut moris est, processit. Et facta dicta uncione, idem dominus rex, dictis vestibus albis exutus et alliis regalibus more regio reinductus, accedens ad altare super quo erat ensis ac corona aurea gemis preciosis ornata et ceptrum regale aureum, preparati orationibus consuetis in talibus dici, prius dictis per iam dictum dominum episcopum Pampilonensis dictum ensem propriis manibus accepit et de eodem se cinxit de vagina quoque extraxit et nulum vibravit ac in alto elevavit et eundem ensem reduxit in vaginam. Postea coronam, premissis orationibus debitis, per dictum episcopum Pampilonensis prefatum, eccam accepit, de qua manibus propriis se coronavit, et ita cinctus et coronatus, ceptrum ecciam orationibus dici consuetis premissi accipiens et illud in manutenens super scutum ad arma regni Navarre propria tantum [depic]tum ascendit baronibus prefatis manustenentibus ad dictum scutum, una cum duobus de dictis nunciis, iuratis ac procuratoribus Burgui ac Populacionis ville Pampilonensis supradicte videlicet, Iohane de Çalva et Petro Palmerii; et uno de Navarrería civitatis Pampilone videlicet, Iohane Garsie de Beunça predicto, tam pro dicta villa quam pro omnibus aliis bonis villis prelibatis, prout idem dominus rex ordinaverat et mandaverat, ad anullum dextrum medium dicti scuti, eccian manustenentibus. Ceteris, autem nunciis et procuratoribus dicte Pampilone ville ac alliarum bonarum villarum presentibus ac alliis qui erant pro Tutella, Stella, Sangossa, dicentibus et assitentibus, quod sicuti prefati de Pampilone sit et ipsi debebant tenere manus ad scutum, protestantibus et dicentibus, quod nunc et in futurum, dictis villis aut cuicumque ipsarum non preiudicaretur, pro eo quod ad scutum ipsi non aponebant manus, sicut tres de Pampilona prelibati ipsi barones ac tres predicti nomine quo supra eundem dominum regem in altum ter elevaverunt, clamantes omnes in simul tribus vicibus alta voce: Real, Real, Real. Et ipse dominus rex, superius sic elevatus, proieccit undique de sua moneta. Quibus sic gestis, reverendissimus in Christo Pater et dominus, dominus Petrus de Luna cardinalis sedis appostolica legatus, qui ibi erat presens causa honorum, licet aliquod ius in hoc non haberet. Et predicti domini Pampilonensis tanquam ungens et faciens officium et ad quem hoc pertinebat racione sui episcopatus Pampilonensis, Tirasonensis tamquam antiquior inter asistentes episcopi, ambo in pontifficalibus, ad dictum dominum regem supradictum scutum adhud stantem accesserunt ipsum que ad solim sedis regie magestatis, quod erat in eminenti loco ad hoc preparatum, duxerunt et eumdem in dicto solio intronizaverunt, asistente prefato domino Aquensis seditque in eodem dicto domino episcopo Pampilonensis, orationibus in talibus dici consuetis, dicente. Et post dictas oraciones, eodem domino episcopo Pampilonensis «Te Deum laudamus» incipiente, aliis dominis, episcopis et clero usque ad finem cantando prosequentibus populo congratulante. Super quibus omnibus et singulis honorabilis vir Garsias de Leach, procurator generalis eiusdem domini regis, nomine ipsius domini regis et pro ipso nec non predictus dominus episcopus Pampilonensis pro se et omnibus prelatis supradictis ac toto clero tocius regni dictique barones pro se et omnibus millitibus superius nominatis ac alliis nobilibus et infançionibus eiusdem regni et nuncii ac procuratores bonarum villarum predicti pro se ac vice et nomine conciliorum ac communitatum cuiuslibet dictarum villarum pecierunt a nobis, notariis infrascriptis, fieri publicum seu publica instrumenta. Et completis omnibus supradictis, dictus dominus episcopus Pampilonensis incepit dicere magnam missam et prosecutus est eam ordine consueto. Et ibidem idem dominus rex in eadem missa obtulit panos aureos et de moneta sua iuxta forum et comunicavit recipiendo sacramentum Eucaristie reverenter per manus eiusdem episcopi Pampilonensis, ut est moris.

Acta fuerunt hec Pampilone, in ecclesia cathedrali predicta, anno, die, mense, indicion et pontificatu quibus supra. Presentibus reverendissimo in Christo Patre et domino, domino Petro de Luna Sancte Romane ecclesie diacono cardinali apostolice sedis legato supradicto, reverendissimis in Christo patribus dominis Petro Ampuriensis et Ferdinando Viscensis episcopis. Et nobilibus, dominis Iohane vicecomite Fusenssagueti, Raymundo Bernardi domino de Castro novo, domino Alfonso de Luna archidiacono Gerundensis, Iohanne Ferdinandi d'Aranda legum doctore, domino Didaco Lupi de Eztuynniga cambarlengo, domino Didaco Lupi de Medrano maiore domus Castille regis, domino Francisco de Pau regni Aragonie, domino Sicardo de Montaut et domino Bernardo de Rostan vascones; millitibus Nicolao de Laxaga, Petro de Villa et Vidalo de Glavat civitatis Bayonensis; burgensibus et pluribus aliis tam clericis, religiosis et secularibus quam laicis nobilibus et aliis diversorum regnorum in maxima copia testibus ad premisa vocatis specialiter et rogatis.

(Signo). Et ego Petrus Godeile senonensis publicus auctoritate apostolica notarius qui premissis omnibus et singulis dum sic ut premittitur agerentur et fierent anno, die, indiccione, pontificatu et loco predictis una cum prenominatis testibus ac discrectis viris magistris Petro de Ianariz apostolica ac Iohane Eximini Ceylludo predicti domini regis secretario ac regia auctoritatibus notariis personaliter interfui hoc presens publicum instrumentum aliena manu scriptum publicavi et in hanc publicam formam redegi in quo me subscripsi signumque meum solitum una cum signis et subscripcionibus dictorum notariorum ac sigilli predicti domini regis appensione feci et apposui rogatus et requisitus in testimonium premissorum.

(Signo). Et ego Petrus de Ianariz, clericus diocesis Pampilonensis, publicus apostolica auctoritate notarius qui premissis omnibus et singulis dum sic ut premittitur agerentur et fierent una cum prenominatis testibus ac discrectis viris magistris Petro Godeille Senonensis apostolica et Iohanne Eximini Ceilludo prefati domino regis secretario ac regia auctoritatibus notariis publicis supra et infrascriptis personaliter interffui hoc presens publicum instrumentum manu aliena scriptum publicavi cui me subscripsi signunque meum asuetum una cum signis et subscripcionibus predictorum notariorum ac sigilli predicti domini regis apensione feci et apposui rogatus et requisitus in testimonium premissorum.

(Signo). Et ego Iohanes Ceilludo domini nostri regis Navarre secretarius ac eius publicus auctoritate notarius in omnibus finibus dicti regni qui premissis omnibus et singulis dum sic ut premittitur fierent et agerentur una cum discrectis viris magistris Petro Godeille et Petro de Ianariz auctoritate apostolica notariis ac testibus suprascriptis presens personaliter inter fui aeque sic fieri vidi et audivi hoc presens publicum instrumentum per alium ut prefertur scriptum publicavi cui me subscripsi signumque meum asuetum una cum signis et subscripcionibus predictorum notariorum ac sigille domini nostri regis appensione presentibus aposui requisitus et rogatus in testimonum omnium singulorum premissorum.

Nos vero Karolus Dei gratia rex Navarre, comes Ebroycensis

113

prefatus in testimonium et corroborationem omnium et singulo- rum premissorum presentes literas sive publicum instrumentum sigilli mei iussimus appensione muniri. Datum loco die mense et anno predictis.

[89]. Nota aqui que porque sia sopido breument, sin estudiar de suso en este libro, como el contado de Campanya palazín de Bría veno a Navarra et como Navarra fue a la corona de Francia et depues como [1] Navarra fue sepparada de Francia, el escripvano lo ha puesto aquí, empués la iura del rey, somariament la mane- ra, porque beilla cosa es de lo saber a qui no lo ha leydo. Item sera puesta la manera como los reyes de Navarra son descendi- dos de Sant Loys de Francia de ambas partes.

[*Incorporación del condado de Champaña al reino de Navarra*]

[90]. Fue rey en [1] Navarra don Sancho, dicho el [2] Fuert, qui morió en el castiello de Tudela et iaze en Roncesvalles, in anno Dómini Mº CCº XXXIIIIº, sin criazon ninguna; et de su hermana donna Blanqua qui habia seydo casada en Francia con el conde don Tibaut de Campayna, don Tibaut, lur fijo, conte de Campa- nya, subcedió rey en Navarra et conte de Campannya; este rey morió en Pamplona, in anno Dómini Mº CCº LIIIº.

Regnó su fijo don Tibaut, marido de donna Yssabel, fija del rey Sanct Luys de Francia [3], et morió este don Tibaut sin criazón en Trapana [4] a Scicilia [5] et allí iaze veniendo de sobre moros en Tunez do estaba el dicho Sanc Loys in anno Dómini Mº CCº LXXº.

Item subcedió rey en Navarra su hermano don Henrrich, el qual morió en Pamplona et y iaze en anno Domini Mº CCº LXX IIIIº. Et aqui es [6] la fin et manera de como Campanna veno a Navarra (1).

[*Incorporación y posterior separación de Navarra a la corona francesa*].

[91]. Item deste don Henrrich finquo solament una fija, la infanta dona Iohana en la hedad de dos annos y fue embiada

___

[89]. [1] como depues, BCD.
[90]. [1] de, BCD.—[2] el] *om.* D.—[3] el rey de Francia S. Lois, BCD.—[4] Trapanna, BCD.—[5] Scicillia, BCD.—[6] et aqui es] *om.* D.

[90]. 1. Resume los parágrafos 34, 35, 36, 37, 38 y 39.

en Francia al rey don Phelip dicho Poursiant, fijo de Sant Loys, et con don Phelip dicho el Fermoso qui era[1] ioven de IIIIº annos, fijo del dicho don Phelip dicho Poursiant, fue casada. Et estonz fueron rey et reyna de Navarra, conte de Campannia, palazín de Bría, doze annos en lur ioventud. Muerto el dicho rey don Phelip dicho Poursiant, en Perpeynán de la Sennoría[2] de Aragón do éll fazía guerra in anno Dómini Mº CCº LXXX VIº, fueron rey et reyna de Francia et de Navarra; et duró assí Navarra con Francia en su vida et de lures tres fijos reyes uno empués otro. Son a saber: don Loys nombrado Hutín, don Phelip dicho el Largo et don Carlos dicho el Calvo qui morió en Francia in anno Mº CCCº XXVIIIº, primero dia de febrero; en el qual tiempo, tomando de la muerte del rey don Enrrich de Navarra comte de Campannya in anno Dómini[3] Mº CCº LXXIIIIº, del qual donna Iohana su fija de dos[4] annos de su hedad regno en Navarra con su marido don Phelip el Fermoso seyendo en Francia, et el regno fazían regir por nobles hombres guobernadores, ata la muert del dicho don Carlos Calvo, rey de Francia et de Navarra, nombrado aquí de suso, son LXIIIIº annos; et de los dichos tres reyes[5], fijos del dicho don Phelip Fermoso et de su muger la dicha donna Iohana de Navarra, non finquaron criaturas sino una sola fija del dicho rey don Loys Hutín, la qual fue privada de la subcesión de Francia por don Phelip comte de Valoys, como de suso dicho, et ovo solament Navarra; cassada fue con don Phelip conte d'Evreux como de suso mas largament es fecha mención, et aquí es la fin et separación[6] de Francia et de Navarra (1).

[Ascendencia directa de los reyes de Navarra con San Luis de Francia].

[92]. Item empues que de suso es dicho la manera como Campannya veno a Navarra et como Navarra fue a Francia, dize el escripvano deste libro que digna cosa et bella es a saber breument, sin estudiar este libro[1], como la noble generación et lures criazones de los nobles reyes de Navarra, don Carlos, a qui Dios perdone, et don Carlos, a qui Dios de buena vida, son

---

[91]. 1 (era) de] *add.* A.—2 Seynora, BCD.—3 anno de, BCD.—4 dos] sus, BCD.—5 reyes] *om.* BCD.—6 separación] *lag.* A.

[91]. 1. Resume los parágrafos 40, 41 y 46.

descendidos por recta linea, en tres partidas, del rey Sanct Loys de Francia (1).

Primo Sanct Loys, el qual morió en las tierras de moros sobre [Cartago]² en el regno de Tunez, en el anno Domini Mº CCº LXXº, padre et arbol de fruycto. Don Phelip dicho Poursiant, su fijo, primo gradu. Item don Phelip dicho Fermoso, IIº gradu, marido de donna Iohanna de Navarra, fija del rey don Enrrich. Item don Loys dicho³ Hutín, lur fijo, IIIº gradu. Item donna Iohana, su fija, IIIIº gradu, que fue casada con don Phelip conte de Evreux. Item don Carlos, lur fijo, Vº gradu, et ovo por muger donna Iohana de Francia, fija del rey Iohan. Item don Carlos, lur fijo, VIº gradu, el qual regna rey en Navarra et por el plazer de Dios regnara en luenga et buena vida.

Item otra part, don Phelip dicho Poursiant, primo gradu. Item don Carlos, su hijo, conte de Valoys, IIº gradu. Item don Phelip su hijo⁴, conte de Valoys, IIIº gradu, el que entró en el regno de Francia privando a donna Iohanna, fija de don Loys Hutín. Item don Iohan, rey de Francia, fijo del dicho don Phelip de Valoys, IIIIº gradu. Item donna Iohana, su hija, Vº gradu, esta fue casada a don Carlos de Navarra. Item don Carlos lur fijo, VIº gradu, al qual Dios alargue la vida.

Item de otra part, don Phelip dicho Poursiant, Iº gradu. Item Loys comte d'Evreux, su fijo, IIº gradu. Item don Phelip su fijo, conte de Evreux, IIIº gradu, el qual fue casado con la dicha donna Iohana privada del reyno de Francia et a ella finquo solament Navarra. Item don Carlos de Navarra lur fijo, IIIIº gradu, marido de la dicha donna Iohanna, fija del dicho don Iohan rey de Francia. Item don Carlos lur fijo⁵, Vº gradu, al qual Dios mantenga por luengos et buenos tiempos, Amen.

[93]. Coppia de la letra del rey como el thesorero fue instituydo¹.

Karlos, por la gracia de Dios rey de Navarra, conte d'Evreux, a todos quantos las presentes letras veran e oyran, salut. Fazemos saber que nos, oydo el bueno et loable testimonio de García

---

[92]. ¹que digna cosa... sin estudiar este libro] om. BCD.—²Cartage, A; Cartagena, BCD.—³dicho] om. BCD.—⁴su hijo] alteran el orden, BCD.—⁵fijo] om. D.
[93]. Presentamos aquí la transcripción directa del documento, que se halla en el Archivo General de Navarra, Comptos, caj. 89, n.º 90, I. Sólo se diferencia de la copia que forma parte del manuscrito A, en unas pocas grafias sin importancia que pueden apreciarse en el aparato crítico.

[92]. 1. Muy correcta la descendencia de San Luis rey de Francia, utilizando quizá alguna crónica francesa no identificada.

Loppiz de Roncasvailles, fiando de su lealtad, discrepción et dili-
gencia de nuestra cierta sçiençia, proprio movimiento et [2] pode-
rio real, ad aqueill abemos instituydo et creado et establecido.
Instituymos, creamos et establescemos por las presentes por
nuestro thesorero de Navarra, a los husos, provechos, hemolu-
mentos, gages [3], estado [4] et pension a nuestro thesorero perte-
nescientes, et queremos que ell use et goze de tales gracias, honores et dignidades, privillegios et franquezas et libertades
como los otros nuestros thesoreros de Navarra han usado et
gozado et deben usar et gozar, et que eill se pague et entregue
cada anno por su mano, d'aquí adelant, mientre terra el dicho
officio, de los gages et provechos que pertenescen a nuestro thesorero; del cual habemos fecho recebir iura sobre la Cruz e los
Sanctos Evangellos por el manualmente tocados, que bien et leal-
mente usará et exercerá del dicho officio de la thesorería; que
fará buenas et verdaderas receptas et expensas, rendrá leal
compto, guardará nuestro drecho et los del pueblo et terra secreto. Si mandamos a todos nuestros officiales et subdictos que
al dicho García Loppiz conozcan por nuestro thesorero, entiendan, obedezcan et fagan por ell en todas et qualesquiere cosas
al dicho officio pertenecientes et en las dependencias emergen-
tes et circunstancias d'aquellas; et a nuestros amados et fielles
las gentes oydores de nuestros comptos, mandamos que los gages et pensión que pertenescen haber a nuestro thesorero, reciban en compto cada anno al dicho García Loppiz et rebbatan de
qualesquiere de sus receptas ordinarias o extraordinarias. Por
testimonio de las presentes vidimus [5] eot coppia deillas fecha
en debida forma tan solament, sin alguna difficultad, en testimonio d'este habemos mandado sieillar las presentes en pendient de nuestro grant sieillo. Data en Bordeaux, quoatreno [6] dia
de deziembre, l'aynno del nascimiento de nuestro Sennor Ihesu
Christo de mill quatrozientos et tres por el rey en su consejo
S(ancho) d'Itúrbide de Vaquedano.

[94]. Item coppia del poder de la Sennora Reyna que finquó logartenient del Sennor Rey, el qual partió por yr en Francia
en el mes de noviembre del anno M° CCCC° III°.

Karlos, por la gracia de Dios rey de Navarra, conte de Evreux,
a todos quantos las presentes letras verán, salut. Fazemos saber
que como nuestra entención [1] sea, Dios queriendo, de nos trans-

---

[93]. [1] instruydo, D.—[2] et] del, CD.—[3] gafes, CD.—[4] estado] om. BCD.—[5] vi-
dim, BCD.—[6] III°, A.

portar de present enta las partidas de Francia por algunos grandes negocios que nos habemos alla fecho proseguir por luengo tiempo por nuestro mensageros et embaxadores solepnes, et que nos mismo en nuestra persona habemos proseguido ante d'agora et entendemos de proseguir, et nos ayamos soberano desseo, affection et voluntat que el nuestro[2] regno et pueblo d'aqueill qui de grant lealtat et fieldat sen et deben ser specialmente et singularmente al mundo loados et recomendados, sean en iusticia et equidat et sus fueros et buenas costumbres en nuestra absencia gobernados et mantenidos, nos, fiando plenariament sobre todas otras personas de la nuestra muy cara e muy amada conpaynera la reyna[3], aquella habemos ordenado et establecido et por las presentes, durant el tiempo de nuestra absencia o ata tanto como[4] a nos plazdrá, ordenamos et establescemos en vez et en nombre nuestro, nuestro logartenient, cometiéndoli en nuestra absencia al guobernamiento general del dicho nuestro regno et dándoli plenero poder et mandamiento special de conoscer de todas causas civiles et criminales o otros qualesquiere casos por si o por otro; et de aquellas examinar, decidir et determinar et poner o fazer poner a execución; et de ordenar, establescer et constituyr alcaldes de nuestra grant Cort et procuradores patrimonial et fiscal et otros alcaldes, balles, prebostes, iusticias, admirates, recebidores, porteros, sozmerinos, notarios et todas maneras[5] de otros officiales et iusticieros necessarios, hutilles et expedientes por las ciudades, villas, logares et comarquas[6] de nuestro dicho reyno, et al buen guobernamiento de aquell. Et otrosí, de ordenar e instituyr castilleros et alcaires en los castillos de nuestro regno do necesario sera et cada que a nuestra dicha compannyera la reyna bien visto sera, empero que aquellos tales alcaites et castiellos sean nuestros subdictos et naturales de nuestro regno; et de aquellos officiales tyrar et destituyr, assí como a ella plazdrá; de distribuyr e dar oro, plata et dineros do menester, expedient et necesario será; de oyr et fazer oyr comptos[7] de todas maneras de thesoreros, recebidores, comisarios et recaudadores et ad aquellos dar quitances et diffiniciones; de fazer e otorgar remissiones, gracias, quitances et abollissiones de qualesquiere crimines, delictos et excessos, salvando de crimen de lessa magestat tan solament; et de fazer todas otras maneras de gracias assí como le plazdrá et bueno li semblará; de imbiar comisarios por la tierra y regno por todos casos, todas et quantas vegadas que bien visto li será[8]; para fazer inquistas de qualesquiere casos et negocios; de convocar et asemblar a Cortes Generales los tres estados de nuestro dicho reyno quando li [9] semejara que necessario et expedient será, et en aquellas cortes ordenar [10] et establescer todas e qualesquiere cosas que serán expedientes, utilles et necesarias para nos et nuestros negocios. Et por la necesidad et uttillidad de nuestra corona et regno, de ordenar et imbiar menssageros et embaxadores fuera de nuestro reyno a do bueno et expedient li semblará, o comissario o comissarios por los debates et questiones que son o podrán estar por tiempo en las fronteras de nuestro dicho reyno con los otros confrontantes o comarquantes en et sobre la limitación et mojonamiento d'aquellos et de aquellas questiones et debates, determinar, decidir et poner o fazer poner ad fin perpetual. Et ad [11] aquellos mensajeros, embaxadores o comissarios fazerlis dar et ministrar todo aquello que menester et necesario lis será; et otrosí, de fazer obligar de nuevo en mano de nuestra dicha compaynera la reyna los alcaytes de los castiellos nuestros qui son hobligados al rey d'Aragón, nuestro muy caro et muy amado hermano en razón et a causa del casamiento de nuestra muy cara et muy amada hija la reyna de Scicillia [12], segunt et en la manera que a nuestra dicha compaynera la reyna bien visto será, et que por el bien del dicho negocio con el dicho rey de Aragón nuestro hermano, en nuestra absencia, expedient et necessario lis parezcrá. Et otrosí de tractar, acordar e firmar por nos et en nuestro nombre con el conte d'Urgel o sus embaxadores et procuradores hobientes poder bastant et complido casamiento por palabras de present o de futur de nuestra muy cara et muy amada fija la infanta Beatriz con don Iaymes, fijo del dicho conte d'Urgel; et de dar et ottorgar a la dicha infanta nuestra fija en casamiento con el dicho don Iaymes, dot competent et bastant; et de nos obligar et iurar en la nuestra ánima todas maneras de iuras que orden de drecho requiere; de tener e cumplir todo lo que por nuestra dicha compaynera la reyna será tractado, acordado, firmado, prometido et iurado; et a mayor [13] cumplimiento ,de fazer obligar a los de las buenas villas de nuestro regno et otros nuestros subditos, que a nuestra dicha compaynera bien visto li será, a todas submissiones, conpulsiones, coherciones et execuciones de censuras ecclesiasticas et obligaciones seglares de marquas et de todas otras cosas que por el buen et breu cumplimiento del dicho matrimonio seran expedientes et necessarias, et de aquellas obligaciones et submissiones mandar et fazer executar realment et de fecho cada que necessario será, segunt la forma et thenor de aquellas; et generalment, de mandar, cometter et exercer todas et singulares otras cosas que nos fariamos et fazer podriamos si personalment fuesemos presente et ressident en nuestro regno, puesto que las cosas sean o fuesen mayores et mas graves [14] que las de suso exprimidas et que de lur natura requiriesen mandamiento expresso et special, salvo et exceptado la institucion [15] del alferiz, chanceller, marischal, castellán [16] de Sant Iohan et merinos, las quales cosas nos retenemos [17] et reservamos a nos, por quanto nos habemos mayor conosciencia de nuestro reyno et de las personas, que no ha nuestra dicha compaynera la reyna. Si mandamos por thenor de las presentes a todos nuestros officiales hombres vassallos et súbditos de qualquiere estado, ley o condición [18] que sean, que a la dicha nuestra compaynera la reyna en las cosas sobredichas, conexas, dependientes et acessores d'aquellas et en cada una d'ellas entiendan et hobedezcan dilligentamente, en testimonio d'esto mandamos sellar las presentes en pendient de nuestro grant siello de la Chancellería. Data en San Pelay [19], el XXII dia de noviembre, l'anno del nacimiento de Nuestro Sennor M CCCC° III.

Hay inter lineo en un renglón cerqua la fin aquí de suso do dize castellan de San Iohan, el qual nos [20] aprobamos. Datis ut supra Charles por el rey en su grant conseio del Escluse [21].

Fecha fue colación de la copia [22] sobrescripta con la carta original del sennor rey, XXIIII° dia de abril, anno a Nativitate Dómini M° CCCC° nono por mí, Pelegrín, notarius de la Cort, et en la Cambra de los Comptos Reales [23].

---

[94]. [1] atención, CD.—[2] el nuestro] enro, CD.—[3] la reyna] *om.* BCD.—[4] como] que, BCD.—[5] maneras] *om.* BCD.—[6] marquas, BCD.—[7] oy contar, BC; oy contra, D.—[8] li será bien visto, BCD.—[9] quando li] quali, BCD.—[10] mandar, BCD.—[11] ad] *om.* BCD.—[12] Sccilia, CD.—[13] por mayor, BCD.—[14] grabas, A.—[15] instrución, A.—[16] cantelan, D.—[17] debemos, A.—[18] ley o condición] *om.* CD.—[19] San Palay, D.—[20] vos, BCD.—[21] y de le escluie, BCD.—[22] carta, BCD.—[23] del Sennor Rey, BCD.

INDICE ONOMASTICO *

* La referencia se hace a los parágrafos del texto.

JACQUES DE BORBÓN, conde de La Marca, 81.
JAQUET DE RÚA, chambelán, 64.
JAYME, rey de Aragón, 34 y 35.
JAYME, hijo del conde de Urgel, 94.
JULIÁN, conde don, 9.

LEONEL, hermano de Carlos III y capitán de Cherbourg, 79 y 88.
LEONOR, mujer de Carlos III, 73 y 78.
LOPE GIL EL JOVEN, 88.
LOPE LÓPEZ DE BEARÍN, preboste, 88.
LUYS HUTÍN, rey de Francia y de Navarra, 40, 41, 42, 43, 46, 53, 91 y 92.
LUYS, hijo de Carlos III, 82.
LUYS, conde de Evreux, 46 y 92.
LUYS, duque de Duraz, 48.

MARÍA, hija de Felipe de Evreux y mujer de Pedro IV de Aragón, 48.
MARÍA, hija de Carlos II, 77.
MARÍA, hija de Carlos III, 81.
MARTÍN, rey de Aragón, 81.
MARTÍN, rey de Sicilia, 81.
MARTÍN, señor de Domezaín y de Saltu, merino de Sangüesa, 88.
MARTÍN DE ARTIEDA, 88.
MARTÍN DE AYVAR, merino de la Ribera y chambelán del rey, 88.
MARTÍN DE ZALBA, obispo de Pamplona, 78, 85 y 88.
MARTÍN ENRÍQUEZ DE LACARRA, mariscal de Navarra, 59, 79 y 88.
MARTÍN GARCÍA, don Costal, notario de Tudela, 88.
MARTÍN GONZÁLEZ, 88.
MARTÍN DE HUSSA, prior de Santa María de Pamplona, 85.
MARTÍN PÉRIZ EL ROYO, alcalde de los Arcos, 88.
MARTÍN SANCHIZ, 88.
MARTÍN DE SANTA CRUZ, mercader de Estella, 88.
MARTÍN DE URIZ, 63.
MARTÍN XIMÉNIZ MARGÁN, alcalde de Monreal, 88.
MAYORA, mujer de Sancho el Mayor, 19, 22 y 26.
MIGUEL DE ZALBA, jurado del Burgo y Población, 88.
MIGUEL LACEILLA, 85 y 88.
MIGUEL DES MARES, clérigo de la cámara de los dineros del rey, 86.
MIGUEL PÉREZ DE VERASAYN, 88.
MIGUEL XIMÉNIZ DE ALEXO, alcalde de Puente la Reina, 88.
MIRAMAMOLÍN, rey moro, 32.
MOYSÉS, 42.

NERÓN, emperador, 8.
NICOLAU DE LAXAGA, 88.

PASCUAL CRUZAT EL JOVEN, 88.
PASCUAL DE IRAGÜI, 88.
PEDRO I, rey de Aragón y de Navarra, 27.
PEDRO IV, rey de Aragón, 48.
PEDRO I, rey de Castilla, 59.
PEDRO, conde de Mortain, hijo de Carlos II, 64 y 77.
PEDRO, obispo de Ampurias, 88.
PEDRO, obispo de Tarazona, 88.
PERE ARNAUT DE GARRO, chambelán del rey, 79 y 88.
PEDRO GARCÍA D'AYANIZ, escudero, 88.
PERO GARCÍA D'EGUÍRIOR, consejero del rey y oidor de Comptos, 85.
PEDRO GODEILLE, notario apostólico, 88.
PEDRO DE IANARIZ, clérigo de Pamplona y notario, 88.
PEDRO INYGUEZ DE URSÚA, 88.
PEDRO DE LAXAGA, chambelán mayor del rey, 88.
PEDRO DE LUNA, cardenal de Aragón y legado de Clemente VII, 78 y 88.
PERO MARTÍN, 88.
PERO MANRIQUE, adelantado de Castilla y capitán de Logroño, 65 y 68.
PERO MIGUEL VARALLA, 88.
PEDRO ORTIZ, alcalde de Villafranca, 88.
PERO PALMER, mercader de Pamplona, 88.
PEDRO SÁNCHIZ DE CORELLA, 88.
PEDRO SÁNCHIZ DE LIZARAZU, alcaide del castillo de Rocafort, 88.
PEDRO SÁNCHIZ DE RIPALDA, notario y jurado de la Navarrería, 88.
PEDRO DE VILLA, 88.
PERO XIMÉNIZ DE GAZÓLAZ, obispo de Pamplona, 36.
PELEGRÍN, notario de la corte y de la cámara de Comptos, 94.
PERCHE, conde de, 10 y 28.
PHELIP III POURSIANT, rey de Francia, 40, 41, 46, 91 y 92.
PHILIP FERMOSO, rey de Francia, 40, 41, 42, 44, 45, 46, 91 y 92.
PHILIP EL LUENGO, rey de Francia y de Navarra, 40, 43, 44, 45, 46 y 91.
PHILIP VI DE VALOIS, rey de Francia, 43, 46, 48, 91 y 92.
PHELIP, conde de Evreux y rey de Navarra, 47, 49, 91 y 92.
PHILIP, conde de Longueville, hermano de Carlos II, 48, 55 y 56.

123

INDICE TOPONIMICO *

Abarcuca, 15.
Acaya, 5.
Agnani, 62.
Agramont, 72 y 88.
Aguilar, 88.
Alava, 32.
Algecira, 47.
Aljubarrota, 74.
Aloz en Paluel, castillo, 54.
Andalucía, 33.
Anet, castillo, 64.
Anglaterra, 40, 51, 55, 56, 77 y 79.
Antiochía, 78.
Aragón, 10, 17, 19, 22, 24, 25, 26, 27, 28, 29, 33, 34, 36, 41, 48, 50, 81, 88, 91 y 94.
Arecort, 54.
Arle lo Blanch, 8.
Artafaila, 10 y 28.
Artois, 38.
Asiaín, 70 y 72.
Asturias, 10.
Atapuerca, 20 y 23.
Auroy, castillo, 57.
Aviñón, 61.
Avís, 74.
Avranchez, castillo, 64.

Bayguer, 88.
Bayona, 88.
Beaumont, 64.
Bernay, castillo, 64.
Berrio, 68.
Bethleem, 5.
Bloys, 57.
Biguria, 15.
Borbón, 64.
Borgonna, 43, 53 y 64.
Bordeaux, 66 y 93.
Breval, 64.
Bretayna, 48, 57, 59 y 67.

Bría, 35, 37, 41, 47, 53, 80, 89 y 91.
Burgos, 19 y 32.
Burunda, 32.

Cahors, 10.
Calahorra, 88.
Caparroso, 63.
Caragoca, 11.
Carantén, 57 y 64.
Cartago, 37 y 92.
Castellet, 64.
Castilla, 19, 21, 32, 33, 40, 55, 59, 63, 65, 68, 69, 70, 71, 73, 74, 77, 78, 81 y 88.
Castro Ayvaro, 19.
Castronovo, 88.
Cathaluyna, 41 y 77.
Caux, 61.
Cessenón, 61.
Cocherel, 56.
Conches, 64.
Constantin, 57.
Córdoba, 11.
Cortes, 81.

Champayna, 31, 34, 35, 36, 37, 41, 42, 47, 53, 80, 87, 89, 90, 91 y 92.
Chateau Gayllar, 54.
Chipre, 51.
Chirebourg, 55, 57, 60, 64, 79 y 80.

Dax, 78.
Denia, 77.
Domezaín, 88.
Duraz, 48.

Ebro, río, 32 y 65.
Estella, 39, 66, 71, 78, 82, 83 y 88.
Evreux, 46, 47, 48, 49, 58, 61, 64, 77, 80, 88, 92, 93 y 94.

* La referencia se hace a los parágrafos del texto.

Sanct Saturnín, iglesia de, 28.
Sanct Vicent, castillo de, 71, 78 y 88.
Sancta María de Pamplona, iglesia de,
1, 12, 30, 31, 37, 39, 44, 47, 49, 82,
85 y 88.
Sancta María de Olite, iglesia de, 50.
Sancta María de Roncesvalles, iglesia
de, 34 y 49.
Sancta María de Uxué, iglesia de, 49
y 67.
Sancto Domingo de la Calzada, igle-
sia de, 71.
Sangüessa, 50, 66 y 88.
Santarén, 74.
Saltu, 88.
Sena, río, 54, 61 y 67.
Senlis, castillo, 64.
Sevilla, 71 y 74.
Sicilia, 37, 81, 90 y 94.

Tafalla, 72.
Tarazona, 78 y 88.
Tiebas, castillo, 36 y 68.

Toledo, 8, 11, 12, 15, 19, 25 y 85.
Tolosa, 8.
Trapana, 37 y 90.
Trinchebray, castillo, 64.
Tudela, 10, 11, 28, 34, 62, 63, 66, 71,
77, 88 y 90.
Túnnez, 37, 90 y 92.

Ubeda, v. Húbeda.
Urgel, 94.

Valencia, 11, 24 y 30.
Valoys, 43, 46, 48 y 92.
Valoynas, 57 y 64.
Vernedo, castillo, 88.
Vernón, castillo, 61.
Viana, 65, 66, 69, 78 y 88.
Villafranqua, 23 y 88.
Villanueva, 23.
Vitoria, 32.

Ygle de Francia, 53.
Yrach, monasterio, 67 y 88.

FACULTAD DE FILOSOFIA Y LETRAS
DE LA UNIVERSIDAD DE NAVARRA

COLECCION HISTORICA

CUADERNOS DE TRABAJOS DE HISTORIA